Branca Alves de Lima

CAMINHO SUAVE

COMUNICAÇÃO E EXPRESSÃO
2.ª SÉRIE – 1.º GRAU

(De acordo com os Guias Curriculares)

———::———

Com "Manual do Professor" contendo orientação
específica lição por lição

25.ª Edição
LIVRO RENOVADO – NÃO CONSUMÍVEL

DIREITOS AUTORAIS RESERVADOS
DOS DESENHOS E DOS TEXTOS

PROIBIDA A REPRODUÇÃO

editora
"caminho suave" limitada
Cód. Postal - 01508 - Rua Fagundes, 157 (Liberdade)
Fone: 278-3377
SÃO PAULO
1992

Dados de Catalogação na Publicação (CIP) Internacional
(Câmara Brasileira do Livro, SP, Brasil)

Lima, Branca Alves de

L696c
2.ª
25.ª ed.
    Caminho Suave : comunicação e expressão : 2.ª série, 1.º grau / Branca Alves de Lima : (ilustrações da capa e dos textos : Eduardo Carlos Pereira (Edú) : 25.ª ed. – São Paulo : Caminho Suave, 1992.

    "Livro renovado, não consumível".
    Suplementado por manual do professor.

    1. Comunicação e expressão (1.º grau) 2. Linguagem (1.º grau) 3. Livros de leitura I. C. Pereira, Carlos Eduardo, 1947 – II. Título.

80-0589
    CDD-372.412
          -372.6

Índices para catálogo sistemático:
1. Comunicação e expressão : Ensino de 1.º grau 372.6
2. Leitura : Livros-texto : Ensino de 1.º grau 372.412
3. Linguagem : Ensino de 1.º grau 372.6
4. Livros de leitura : Ensino de 1.º grau 372.412

Capa: EDUARDO CARLOS PEREIRA (Edú)
Ilustrações: EDUARDO CARLOS PEREIRA (Edú) e
HUGO ARRUDA CASTANHO JÚNIOR
Diagramação: BRANCA ALVES DE LIMA
Fotolitos: MATTAVELLI LASER FOTOLITO LTDA.

SUMÁRIO

N.os	LIÇÕES	SEQÜÊNCIA ORTOGRÁFICA	SISTEMATIZAÇÃO GRAMATICAL	REDAÇÃO (Expressão Escrita)
1	A família Página 9	Emprego do til Palavras terminadas em **ão**	Oração	Elaborar orações com palavras dadas Questionário
2	Zazá Página 13	xa xe xi xo xu za ze zi zo zu	Alfabeto minúsculo	Ordenar orações
3	Os bichos Página 16	**cha che chi cho chu** **nha nhe nhi nho nhu**	Vogais e consoantes	Elaborar orações à vista de gravura
4	Férias Página 20	**s** no início da palavra Palavras com **ss**	Alfabeto maiúsculo	Completar orações
5	Que susto! Página 23	Revisão: Palavras com **x** e **z**	Palavras quanto ao número de sílabas	Elaborar orações com palavras dadas
6	O sítio Página 26	**rr** **r inicial** **r brando** Revisão **nh**	Diminutivos Divisão silábica Revisão: vogais e consoantes	Elaborar oração com expressão dada
7	A chegada Página 30	**lha lhe lhi lho lhu** Completar palavras com **lh** ou **nh**	Encontros de vogais Revisão: diminutivo	Orações com expressão dada Formar orações usando: Ai! Ui! Oi!
8	O chapéu de Chiquinho Página 33	Completar palavras com **ch** ou **x**	Encontros de consoantes iguais e diferentes	Ampliar orações
9	Puxo eu... Puxa você... Página 36	Leitura e estudo de palavras com **ch**	Acentuação tônica Acentos: agudo e circunflexo Separar sílabas de palavras com **rr**	Reduzir orações História baseada em seqüência de ilustrações

N.os	LIÇÕES	SEQÜÊNCIA ORTOGRÁFICA	SISTEMATIZAÇÃO GRAMATICAL	REDAÇÃO (Expressão Escrita)
10	As moscas Página 39	Sílabas travadas com **s**	Sinônimos e antônimos	História em seqüência

11	Bem feito!
	Página 43
		Sílabas travadas com **r**	Orações:
			    afirmativa
			    negativa
			    interrogativa
			    exclamativa
				História em seqüência

12	A onça pintada Página 47	Sílabas travadas com **n**	Vírgula Cedilha **ce ci**	Orações baseadas em expressão dada
13	A onça sem pintas Página 51	**m** antes de **b** e **p** Palavras com **l** final e intermediário Sílabas travadas com **n**	Revisão: grupos de vogais e consoantes	História em seqüência
14	"Seu" Chico Página 54	Palavras com **l** final e **l** intermediário	Palavras quanto ao número de sílabas Aumentativo em **ão**	Elaborar fatos com roteiro conhecido
15	Na horta Página 58	Palavras com **h** inicial	Nomes comuns	Questionário Elaborar orações com palavra dada
16	O pomar Página 62	Completar palavras com **ss**	Nomes próprios	História à vista de gravura
17	Quem sou eu? Página 66	Palavras com **ç** Procurar palavras com **ce** e **ci**	Nomes masculinos	História em seqüência
18	Que menimo teimoso! Página 70	**s** com som de **z**	Singular e plural em **s** Plural de palavras terminadas em **l** e **r**	História em seqüência

N.os	LIÇÕES	SEQÜÊNCIA ORTOGRÁFICA	SISTEMATIZAÇÃO GRAMATICAL	REDAÇÃO (Expressão Escrita)
19	Encontro com o saci-pererê Página 74	Palavras com: **g e j** Revisão: acento circunflexo	Graus do substantivo: normal diminutivo aumentativo	História baseada em roteiro
20	A vida no sítio Página 78	Palavras com: **ce - ci** e **se - si**	Coletivos Ações terminadas em: **ar** **er** **ir**	História em seqüência
21	Proezas do Mico Página 82	Acento agudo e circunflexo Revisão: **x** Palavras com: **qua que qui**	Sílaba tônica Qualidades dos nomes	Questionário Formar orações com expressões dadas
22	Que formigas! Página 86	Palavras com **gua gue gui**	Aumentativos especiais Divisão silábica Qualidades dos nomes Diminutivos	Elaborar orações à vista de desenho
23	Voltando para a cidade Página 90	Palavras com grupos de consoantes: **br cr dr fr** **gr pr tr vr**	Pronomes pessoais Revisão: qualidades dos nomes	História com roteiro à vista de gravura
24	A rua Página 94	**x** com som de **cs**	Levar ao conceito de **ação**	Completar oração Contar história em que entrem barulhos
25	A casa nova Página 98	Palavras derivadas **x** com som de **ss** Formação de palavras com sílabas dadas	Completar orações com ações Revisão: palavras masculinas e femininas	Questionário
26	Casa pequenina Página 102	Palavras com: **qua que**	Tempos do verbo: presente passado futuro	Orações com expressões dadas Questionário Rimas
27	Quer conhecer o jardim? Página 106	**x** com som de **z** Palavras com **l** intercalado na sílaba	Diálogo - balões e travessões Revisão: ações	História à vista de ilustração e questionário

N.os	LIÇÕES	SEQÜÊNCIA ORTOGRÁFICA	SISTEMATIZAÇÃO GRAMATICAL	REDAÇÃO (Expressão Escrita)
28	O quarto de Fábio Página 110	Revisão: sílabas travadas com **r** **l** final e intermediário	Passar diálogo para balões Treino com balões Divisão silábica Revisão: tempos de verbo	História baseada em desenho
29	Fábio acordou Página 114	Revisão: **l** final e intermediário Palavras com **h** inicial	Tempos de verbo Revisão: Aumentativo em **ão**	História com roteiro Questionário
30	Manhã de correria Página 118	Plural em **ãs** Número de sílabas **X** com som de **ce** **ci**	Diálogo em balões Exercício estrutural com verbos Derivação de palavras	Redação com roteiro
31	O caminho da escola Página 122	Revisão: acentuação **l** intercalado na sílaba: **bl cl fl pl**	Pontuação Diálogo Tempos de verbo: futuro e passado	Redação com roteiro
32	Os colegas de Fábio Página 126	Palavras com **sc**	Tempos de verbos	Normas para redação de bilhete
33	Bilhetes que vão e que vêm Página 130	Palavras com: **ans ens ins ons uns** Plural em: **ens ins ons uns**	Sujeito da oração Tempos de verbos Plural em **ões**	Elaboração de bilhete com assunto dado
34	O castigo da Pichochó Página 134	**x** com som de: **s ch z cs ss**	Revisão: ações Diminutivos especiais Descobrir infinitivo de verbos Aumentativos	Criação de diálogo
35	Sonho de vira-lata Página 138	Palavras com finais: **az ez iz oz uz** Consoantes sonantes	Quem praticou a ação? Sujeito da oração Conjugação de verbo Plural em **z**	Compor história e substituir desenhos por palavras
36	A roda da alegria Página 142	Mensagem à Criança	Expressão Oral Jogral	Elaborar orações à vista das ilustrações do texto

Amiguinho ou amiguinha

O **"Caminho Suave"** n.º 2 foi feito para você e para todas as crianças do Brasil.

Você vai cuidar bem dele:

- não o estragando;
- não rabiscando suas páginas;
- **não escrevendo** nele.

Os brasileirinhos como você precisam aprender a economizar.

Vamos guardar este livro para outras crianças de sua escola.

Desejo um ano feliz para você.

A Autora

A família

Fábio, Didi e Bebê são irmãos.

Fábio é o mais velho e já está com oito anos.

Edite tem o apelido de Didi e fez sete anos.

Fabiano, o caçula, todos chamam de Bebê e tem quase três anos.

Como vocês, eles estudam, brincam e fazem travessuras.

Bebê é levado, só faz reinações.

O nome do papai é Paulo e o da mamãe Cecília.

Também moram na casa o vovô Hugo e a vovó Helena.

VOCABULÁRIO ILUSTRADO
A FAMÍLIA

 O vovô

 A vovó

 O papai

 A mamãe

 Fábio

 Didi

 Bebê

I - ESTUDANDO AS PALAVRAS

1 - Leia:

> **caçula** — o irmão mais moço ou o filho mais moço.
> **reinações** — travessuras, artes.
> **travessuras** — peraltices, reinações.

2 - Copie as orações trocando as palavras em negrito por outras que dizem a mesma coisa.

Bebê é o **caçula**.
Você só faz **reinações**.
Pare de fazer **travessuras**!

II - VOCÊ ENTENDEU O QUE LEU?

1 - Copie e complete substituindo a ☆:

Na lição há ☆ pessoas.
Fábio, Didi e Bebê são ☆.
A pessoa mais nova da família é ☆.

2 - Copie no caderno o nome do papai e da mamãe do Bebê.

3 - Responda no caderno:

Como se chamam os avós de Fábio?
Dê sua opinião. Por que a família está reunida?

III - É BOM FALAR E ESCREVER CERTO

1 - Copie e forme palavras com:

ba	be	bi	bo	bu
fa	fe	fi	fo	fu
ma	me	mi	mo	mu
la	le	li	lo	lu
ca	co	cu		

2 - Copie no seu caderno e coloque ～ nas palavras:

reinaçao	reinaçoes
mamae	mamaes
irmao	irmaos

O sinal que está sobre o **a** e sobre o **o** chama-se til ～

O **til** colocado sobre essas letras modifica o som.

3 - Leia, copie e estude para ditado as palavras:

| pião | fogão | dedão | facão |
| sabão | feijão | limão | botão |

IV - VAMOS APRENDER NOSSA LÍNGUA?

1 - Leia as orações:

    Chove muito.   O gato mia.

Você leu as orações e entendeu o que está escrito.

> **Oração** é uma reunião de palavras que significa alguma coisa. Tem sentido completo.

2 - Copie no caderno as orações que têm sentido completo

    Bebê é o caçula.   Didi estudou a lição.
    Fábio é irmão.   O caixão de madeira.

3 - Que palavra você pode formar?

    com o **fa** de fada
    com o **mi** de comida
    com o **lia** de Amélia

V - REDAÇÃO

1 - No seu caderno escreva orações com as palavras:

    caçula   irmão   papai

2 - Responda:

    Quem é o caçula da sua casa?
    Você já fez alguma travessura?   Qual?

VI - PENSE E DESENHE

Repare no balão. Fábio está pensando em sua família.

Desenhe as pessoas de sua família.

Zazá

Na casa há mais uma pessoa.
É Zazá, a cozinheira.
Ela é casada com "Seu" Zeca.
"Seu" Zeca é motorista.
Os filhos de Zazá e de "Seu" Zeca são:
Zezé, Zizi, Zozó e Zuzu.
Ainda são pequeninos.
A tia Zélia fica com eles todos os dias.

Zazá cozinha.
Zazá lava a roupa.
Zazá passa a ferro.

Ela é muito animada.
À tarde, volta para casa e vai cuidar de sua família.

I - ESTUDANDO AS PALAVRAS

1 - Leia:

> animada - viva, ativa, alegre
> motorista - chofer

2 - Copie as orações, substituindo as palavras em negrito por outras que dizem a mesma coisa:

Zazá é muito **animada**.

O marido da Zazá é **motorista**.

II - VOCÊ ENTENDEU O QUE LEU?

1 - Veja nos desenhos o que a Zazá faz e complete as orações no caderno.

Zazá ☆.   Zazá ☆.   Zazá ☆.

2 - Complete as orações no seu caderno substituindo a ☆.

Zazá é a ☆.

O marido da Zazá é ☆.

Zazá tem ☆ filhos.

A irmã da Zazá é ☆.

3 - Responda:

Por que a tia Zélia toma conta das crianças?

Quando a Zazá cuida de sua família?

III - É BOM FALAR E ESCREVER CERTO

1 - Leia e copie:

xarope - xa - xe - xi - xo - xu

Zazá   - za - ze - zi - zo - zu

2 - Complete as palavras com as sílabas:

| za | ze | zi |

bu ☐ na   bele ☐   ☐ ca
a ☐ do   co ☐ do   Za ☐

IV - VAMOS APRENDER NOSSA LÍNGUA?

1 - Olhe o quadro. Aí está o **alfabeto minúsculo**.

a	b	c	d	e	f	g	h
i	j	l	m	n	o	p	q
r	s	t	u	v	x	z	

São as letras que usamos na nossa língua.
Quantas letras tem o alfabeto?

2 - Copie o alfabeto minúsculo:

a b c d e f g h i j l m
n o p q r s t u v x z

3 - Copie as palavras seguindo a ordem do alfabeto:

roupa - ferro - casa - Zeca

4 - Escreva em seu caderno palavras começando com:

| a | b | g | p | s |

V - REDAÇÃO

1 - Ordene as orações:

cozinha Zazá   passa a ferro Zazá
roupa Zazá a lava   animada Zazá muito é

VI - PENSE E DESENHE

A água está fervendo.
Desenhe uma panela e a fumaça saindo dela.

Os bichos

Os bichos que vivem na casa ainda são os mesmos: Totó Mimi e o Mico.

Totó faz muitas coisas:
fica de pé, pula, dança, dá a pata;
apanha a bola ou um pau que Fábio joga;
guarda a casa dia e noite.

O gato vive cochilando mas, se vê um ratinho ou uma barata, dá um pulo. Patada de cá, unhada de lá e... era uma vez um bicharoco.

É amigo de Totó. Até dorme entre as pernas do cão.

O Mico, esse sim, não pára quieto. Arrelia o gato, o cachorro e corre atrás das galinhas.

Bebê adora as artes do macaco.

I - ESTUDANDO AS PALAVRAS

1 - Leia:

> **arrelia** - irrita, aborrece.
> **bicharoco** - bicho nojento.
> **cochilando** - dormindo levemente, dormitando.

2 - Copie as orações trocando as palavras em negrito por outras que dizem a mesma coisa:

O macaco **arrelia** o gato.

Que **bicharoco** é esse?

O vovô está **cochilando.**

II - VOCÊ ENTENDEU O QUE LEU?

1 - Leia a lição e complete no caderno:

As personagens da história são: ☆.
    ☆ fica de pé, pula, dança, dá a pata.
    ☆ vive cochilando.
    ☆ não pára quieto.

2 - Leia a lição e responda:

Onde Mimi dorme?

Qual dos três animais dá unhadas?

Qual deles brinca mais com Fábio?

III - É BOM FALAR E ESCREVER CERTO

1 - Para recordar, leia e copie:

    chapéu - cha - che - chi - cho - chu
    galinha - nha - nhe - nhi - nho - nhu

2 - Copie da lição, em colunas separadas, palavras com:

    ch   **nh**

IV - VAMOS APRENDER NOSSA LÍNGUA?

1 - Leia o nome do menino: **Fábio.**

  Veja agora: **F b**
    Eu tirei as letras: **a. i. o.**
    Sem elas, você não pode ler o nome do menino.

> As letras **a - e - i - o - u** são importantes.
> Elas entram na formação de todas as palavras.
> Chamam-se **vogais.**

  Escreva palavras começando com:

    a **e** **i** **o** **u**

2 - Veja o alfabeto.   Eu separei as **vogais:**

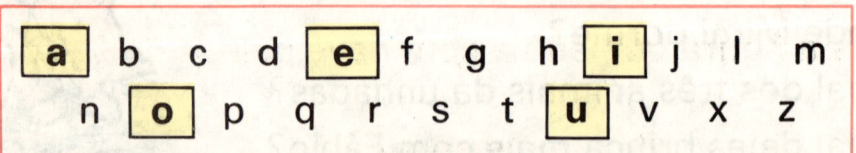

  As letras que sobraram são as **consoantes.**

  Copie as **consoantes.**
  Quantas são as vogais?
  Quantas são as consoantes?

3 - Copie e escreva consoantes nos ☐, formando palavras.

Veja o modelo:

☐ i ☐ o - Mico

☐ o ☐ a   ☐ e ☐ o   ☐ a ☐ a

---

4 - Copie da lição palavras que começam com as consoantes minúsculas:

b
c
g
h

l
m
p
r

--- V - REDAÇÃO ---

Olhe o desenho.
Escreva três orações sobre ele.

--- VI - PENSE E INVENTE ---

Veja a figura que eu fiz com nove palitos de fósforos:

Agora você, invente uma figura com nove palitos.

19

Férias

Lá estão nossos amiguinhos diante da casa.
As férias começaram na semana passada.
Agora todos vão para o sítio.
Cada um tomou seu lugar no carro:

o vovô e a vovó;
o papai e a mamãe;
Fábio e Didi;
Zazá e Bebê.

Totó, Mimi e o Mico vão atrás numa carreta, que está segura por uma corrente.

A família vai seguir agora mesmo.
O papai já deu a partida.
Os filhos da Zazá irão no domingo com Seu Zeca.
A Zazá volta com eles para a cidade.

I - ESTUDANDO AS PALAVRAS

1 - Leia:

> **carreta** - carro pequeno
> **sítio** - terreno muito grande com casa para moradia, plantações e criação de animais

2 - Copie a oração trocando a palavra em negrito por outra que diga a mesma coisa:

Ele levou os sacos na **carreta**.

II - VOCÊ ENTENDEU O QUE LEU?

1 - Leia a lição e forme os pares no seu caderno:

O vovô vai com ☆.
O papai vai com ☆.
Fábio vai com ☆.
Zazá vai com ☆.
Os ☆ vão na carreta.

2 - Copie só a oração verdadeira

A lição fala de feiras.
A lição fala de férias.
A lição fala de feras.

III - É BOM FALAR E ESCREVER CERTO

1 - Leia, copie e estude para ditado:

segura	nossa
seguir	nossos
seguida	passar
sítio	passada
semana	passeio

Repare:

No início da palavra escrevemos um `s`
Escrevemos `ss` no meio da palavra
quando antes deles vem `a e i o u`

21

2 - Copie e complete as palavras com s **ou** ss

    no ☐ os   ☐ ítio   ☐ eguir

    ☐ emana   pa ☐ o   ☐ egura

    o ☐ o   pa ☐ ada   pa ☐ eio

3 - Separe as sílabas das palavras.   Veja o modelo:

    passeio   pas-sei-o

    nossa   passar   osso

    nosso   passada   assobio

IV - VAMOS APRENDER NOSSA LÍNGUA?

1 - Leia em voz alta, muitas vezes, o alfabeto maiúsculo:

    A B C D E F G H I J L M

    N O P Q R S T U V X Z

2 - Copie o alfabeto maiúsculo em seu caderno:

    A B C D E F G H I J L M

    N O P Q R S T U V X Z

3 - Copie os nomes seguindo a ordem do alfabeto maiúsculo:

    José - **C**arolina - **F**abiano - **A**mélia

Veja. Escrevemos os nomes de pessoas com letra maiúscula.

V - REDAÇÃO

1 - Copie e complete as orações substituindo a ☆.

A família vai para o ☆.

As férias começaram na ☆ passada.

Todos estão muito ☆,

O filhos da Zazá vão com ☆.

Que susto!

O papai dirigia com cuidado.
Já se via o sítio lá embaixo, a casa, o arvoredo e a porteira.
De repente... um zebu na baixada, diante do jipe.
Foi um susto!
O papai, zangado, buzinou uma dezena de vezes.
— Fon, fon... fon, fon...
A Zazá xingou o bicho e nada!
O zebu nem se mexeu!
Aí todos enxotaram:
— Xô! xô! xô! xô!
Foi uma zoeira de acabar o juizo.
Por fim, o boi deixou o caminho.

I - ESTUDANDO AS PALAVRAS

1 - Leia:

> **arvoredo** - conjunto de árvores
> **porteira** - cancela, portão bem largo na entrada de sítio
> **zoeira** - barulheira, gritaria

2 - Copie as orações trocando as palavras em negrito por outras que digam a mesma coisa:

Os passarinhos cantavam no **arvoredo**.
Mário abriu a **porteira**.
Que **zoeira** você está fazendo!

II - VOCÊ ENTENDEU O QUE LEU?

1 - Copie em seu caderno as orações.
   Passe um traço debaixo das que estão certas:

O papai dirigia com cuidado.
Apareceu uma vaca na curva da estrada.
O papai buzinou uma dúzia de vezes.
A Zazá xingou o bicho.
O boi deixou o caminho.

2 - Responda em seu caderno:

Por que a família levou um susto?
Você acha a curva da estrada perigosa? Por quê?
Se o papai não dirigisse com cuidado que teria acontecido?
Se ele desviasse para a direita que aconteceria?
E se desviasse para a esquerda?

III - É BOM FALAR E ESCREVER CERTO

1 - Copie e junte as sílabas formando palavras:

va	ve	vi	vo	vu
ta	te	ti	to	tu
ra	re	ri	ro	ru
pa	pe	pi	po	pu

2 - Copie da lição, em colunas separadas, palavras com: x e z

IV - VAMOS APRENDER NOSSA LÍNGUA?

1 - Leia a palavra zebu

　　　Leia agora devagar:　　**ze - bu**
　　　São dois pedacinhos.
　　　Cada pedacinho se chama　**sílaba**

2 - Veja agora:

　　boi ─────────→ tem 1 sílaba
　　bi - cho ─────────→ tem 2 sílabas
　　ca - mi - nho ─────────→ tem 3 sílabas
　　ar - vo - re - do ─────────→ tem 4 sílabas

> As palavras podem ter uma, duas, três ou mais sílabas

3 - Copie, separe as sílabas e escreva quantas tem cada palavra:

　　　　fim - Zazá - dezena - buzinada

4 - Copie e escreva as letras do alfabeto que faltam:

a	b		d			g			j		m

| | o | | | r | s | | | v | | z |

V - REDAÇÃO

Forme orações com as palavras:

　　　buzina　　　zebu　　　zangado　　　susto

6

O sítio

O sítio fica na baixada, junto à montanha.
Quem passa por ali fala:
— Como é triste viver sozinho no mato!
Mas, o sítio é animado.
Ali há muitos bichos:
Tem uma vaca e um bezerrinho.
Tem um papagaio e um carneirinho.
Tem um porco, uma porca e porquinhos.
Tem um gato, uma gata e gatinhos.
Tem um galinheiro com um galo, galinhas e pintinhos.
Tem uma lagoa com patos e patinhos.
Tem um rio com peixes e peixinhos.

I - ESTUDANDO AS PALAVRAS

1 - Leia:

> **animado** - alegre, movimentado.
> **montanha** - quantidade de montes.

2 - Copie as orações trocando as palavras em negrito por outras que querem dizer a mesma coisa:

Que rapaz **animado**!
Eu subi a pé uma **montanha**.

II - VOCÊ ENTENDEU O QUE LEU?

1 - Copie e desenhe uma florzinha antes da resposta certa:

O sítio fica na beirada.   O sítio é animado.
O sítio fica na baixada.   O sítio é desanimado.

2 - Copie só as orações que dizem a mesma coisa:

Como é triste viver só!
Como é alegre viver sozinho!
Como é triste viver sozinho!

III - É BOM FALAR E ESCREVER CERTO

1 - Copie as sílabas e junte formando palavras:

da	de	di	do	du
la	le	li	lo	lu
nha	nhe	nhi	nho	nhu
ga	go	gu		

2 - Copie e complete as palavras com:

nho ou **nha**

bezerri ☐	gali ☐	vaqui ☐
peixi ☐	porqui ☐	carneiri ☐
gati ☐	macaqui ☐	pati ☐

3 - Olhe os modelos e escreva duas palavras com:

r inicial	**rr**	**r brando** (fraco)
rio	terra	arame
remo	ferro	arara

No **começo** das palavras quantos **r** colocamos?
No **meio** das palavras, quando escrevemos **rr** ?

IV - VAMOS APRENDER NOSSA LÍNGUA?

1 - Separe as sílabas das palavras e torne a juntar.

Veja o modelo:

bicho   bi cho   bicho

mato   montanha
vaca   patinho

2 - Copie e faça tudo pequeno. Veja o modelo:

O bezerro e o bezerrinho.   O gato e o ☆.

O porco e o ☆.   O pato e o ☆.

O carneiro e o ☆.   O peixe e o ☆.

3 - Copie as palavras e passe um traço debaixo das vogais.

Veja o modelo: | b o n e c a |

p a t i n h o   z e b u
g a l i n h a   b u z i n a

4 - Copie as palavras e escreva adiante as consoantes, assim:

| v a c a   v - c |

p e i x e   p o r c o   g a t o

5 - Copie e complete como no modelo.

Eu **vi** o sítio.   Você **viu** o sítio.
Eu ☆ a baixada.   Ele ☆ a baixada.
Eu ☆ o zebu.   Ela ☆ o zebu.

V - REDAÇÃO

1 - Copie e descubra a mãe deles:

O pinto é filho da ☆
O patinho é filho da ☆
O gatinho é filho da ☆
O bezerro é filho da ☆

2 - Escreva uma oração com: **carneirinho lanzudo**

VI - VOCÊ É UM INVENTOR

Com seus colegas invente a história:

| O porquinho que fugiu para o mato. |

A professora vai escrevendo no quadro-de-giz
e vocês copiam.

A chegada

Mas, no sítio há mais animais.

Há passarinhos cantando nos galhos.
Há um asno alegre e barulhento.
Há coelhos e coelhinhos orelhudos.
Há abelhas e abelhinhas abelhudas.
Há sapos e sapinhos olhudos.

Quando a família saiu do carro, foi aquela barulheira:

— Aun, aun, aun, aun!
— Coin, coin, coin, coin!
— Muuuu! Muuuu!
— Mé, mé, mé, mé!
— Miau, miau, miau, miau!
— Có - có - ri - có!
— Piu, piu, piu, piu!
— Quá, quá, quá, quá!
— Zum, zum, zum, zum!
— Tri - li - li, tri - li - li!
— Corrupaco, paco, paco!

Todos pareciam dizer:

"Boas vindas, amigos!"

I - ESTUDANDO AS PALAVRAS

1 - Leia:

> **abelhudas** - curiosas, intrometidas
> **asno** - burro, jumento, jerico
> **"Boas vindas"** - "Boas chegadas"

2 - Copie as orações trocando as palavras em negrito por outras que querem dizer a mesma coisa:

Que meninas **abelhudas**!
Desejo a vocês **"boas vindas"**.
O **asno** está no pasto.

II - VOCÊ ENTENDEU O QUE LEU?

1 - Responda em seu caderno:

Que pareciam dizer todos os bichos?

2 - Responda também:

Que animais havia no sítio?
Qual o animal mais barulhento que você conhece?
Qual o menos barulhento?
Que animais podemos criar em casa?
Qual você acha mais útil? Por quê?

III - É BOM FALAR E ESCREVER CERTO

1 - Leia e copie no caderno: | **telha** lha - lhe - lhi - lho - lhu |

2 - Forme palavras no caderno:

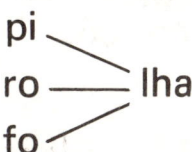
pi
ro — lha
fo

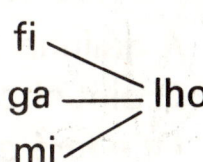
fi
ga — lho
mi

3 - Copie as orações completando as palavras com: `nh` ou `lh`

No sítio há passari ☐ os nos ga ☐ os.
Há também coe ☐ inhos e sapi ☐ os.
Os coe ☐ os são ore ☐ udos.
Os sapos são o ☐ udos.
Os bichos são baru ☐ entos.

IV - VAMOS APRENDER NOSSA LÍNGUA?

1 - Veja nas palavras abaixo o encontro de duas vogais:

n**oi**te   r**ou**pa   port**ei**ra   g**ai**ta   n**ão**
`oi`   `ou`   `ei`   `ai`   `ão`

2 - Agora você. Copie as palavras e passe um traço debaixo dos encontros de vogais:

papai   boi   pau   leite   mão

3 - Copie e continue. Veja o modelo:

coelhinho é um coelho pequeno
abelhinha é uma ☆
sapinho é um ☆
macaquinho é um ☆

V - REDAÇÃO

1 - Forme 3 orações com: `coelhinho branco`

2 - Complete as frases substituindo a ☆ por: Ai! Ui! Oi!

Bebê machucou o pé e chorou: — ☆.
Fábio se assustou e falou: — ☆.
Didi chegou da escola e disse para Bebê: —

VI - PENSE E ESCREVA NO CADERNO

A galinha chamou o pintinho: có, có, có.
O pintinho veio correndo.
Que terá encontrado a galinha?

O chapéu de Chiquinho

O sítio se chama Bicholândia.

A cachorra Pichochó e seus dois cachorrinhos vieram latindo e abanando o rabo.

Todos entraram na casa.
Logo chegou Chiquinho para visitar Fábio.
Ele é filho de Seu Chico, o caseiro.
O menino levou seu chapéu novo de palha.

Pendurou-o na chave da porta e foram tomar chocolate com bolachas.

Ao sair, Chiquinho não o achou mais ali.

O chapéu caíra ao chão e os dois cãezinhos divertiam-se a valer!

— Puxa você...
— Puxo eu ...

I - ESTUDANDO AS PALAVRAS

1 - Leia:

> **caseiro** - empregado que toma conta da casa, do sítio etc.
> **divertiam-se** - distraíam-se.

2 - Copie as orações substituindo as palavras em negrito por outras que digam a mesma coisa:

Seu Chico é o **caseiro** do sítio.

As meninas **divertiam-se** com as bonecas.

II - VOCÊ ENTENDEU O QUE LEU?

1 - Copie só a oração verdadeira, de acordo com a lição:

Pichochó é a gata.

Pichochó é a pata.

Pichochó é a cachorra.

2 - Responda no caderno:

Por que o sítio se chama Bicholândia?
Como os cães recebem as pessoas amigas?
Como recebem as pessoas desconhecidas?
Por que Chiquinho não achou seu chapéu?
Você acha que a brincadeira dos cãezinhos vai acabar bem ou mal? Por quê?

III - É BOM FALAR E ESCREVER CERTO

1 - Copie as palavras e escreva a sílaba que falta em cada uma:

Picho ☐   bola ☐   ☐ ve

☐ colate   cãezi ☐   ☐ péu

2 - Copie e complete as palavras com: ch **ou** x

☐ iquinho dei ☐ ou o ☐ apéu na ☐ ave.

Ele foi tomar ☐ ocolate com bola ☐ as.

Os ca ☐ orrinhos a ☐ aram o ☐ apéu.

Pu ☐ a que pu ☐ a, está divertido!

IV - VAMOS APRENDER NOSSA LÍNGUA?

1 - Leia:

Numa palavra podem aparecer duas consoantes juntas:

É um **encontro de consoantes**

briga	**pr**ato	**bl**oco	**fl**or	**pn**eu
br	pr	bl	fl	pn

2 - Copie as palavras e escreva debaixo o encontro de consoantes:

cravo   fruta   troco   blusa   placa

3 - Leia agora:

Nas palavras podem aparecer duas consoantes iguais. Veja:

ca**rr**o   to**ss**e

rr   ss

Os grupos de letras rr e ss têm o nome de:

dígrafo

Copie as palavras e escreva debaixo os dígrafos:

burro   corrida   garrafa

massa   pessoa   assado

V - REDAÇÃO

1 - Aprenda a aumentar as orações:

Papai comprou um livro.

Papai comprou um livro e uma revista.

Papai comprou um livro, uma revista e um lápis.

2 - Agora você. Aumente as orações.

Ganhei uma bola.

No lanche comi pão com mel.

VI - PENSE E ESCREVA

O nome de uma coisa que possa ser puxada.

O nome de uma coisa pequena que comece com ch

Puxo eu... Puxa você...

Em visita ao seu amigo
Chegou Chiquinho animado
Com um bonito chapéu
Que nunca fora usado.

O Bobi e o Bibi
dois cachorrinhos levados
Acharam o chapéu no chão
E vejam que assanhados!

Agarraram pela aba.
— Puxo eu ... puxa você ...
Do chapéu nada sobrou
Isso é o que logo se vê.

I - ESTUDANDO AS PALAVRAS

1 - Leia:

> **animado** - alegre, entusiasmado.
> **assanhados** - agitados, excitados.

2 - Copie as orações mudando as palavras em negrito por outras que querem dizer a mesma coisa:

Que menino **animado**!

Os cachorros ficaram **assanhados** ao ver o gato.

II - VOCÊ ENTENDEU O QUE LEU?

1 - Responda em seu caderno:

De que era feito o chapéu?
Por que os cãezinhos acharam o chapéu?
Que fizeram com ele?
Os cãezinhos devem ser castigados? Por quê?

2 - Invente outro nome para a lição.

III - É BOM FALAR E ESCREVER CERTO

Leia, copie e estude para ditado:

Chico	chapéu	assanhados
Chiquinho	chegou	cachorro
achou	chão	cachorrinho

IV - VAMOS APRENDER NOSSA LÍNGUA?

1 - Há palavras que levam acento. Veja:

boné - vovó   ´ **acento agudo**

Ele abre o som das vogais é e ó

Veja agora:

você - vovô   ^ **acento circunflexo**

Ele fecha o som das vogais ê e ô

37

2 - **Copie e coloque acento agudo nas palavras:** /

    fuba   paleto   jacare   pe
    cafe   cha   esta   no

3 - **Copie e coloque acento circunflexo nas palavras:** ^

    coco   ve   nene   ioio

4 - **Copie colocando os acentos que faltam:**

    Eu nao gosto de jilo.   Ganhei um casaco de trico.
    O bebe pegou o bone.   Lala tomou cafe com pao.

5 - **Copie separando e juntando outra vez as sílabas. Veja o modelo:**

    | corrida | cor-ri-da | corrida |

    ferro   barriga   terra
    barro   cachorro   derruba

V - REDAÇÃO

1 - **Vamos juntar duas orações numa só? Veja o modelo.**

    Eu chupei uma bala.
    Eu chupei um picolé.

    Eu chupei uma bala e um picolé.

Agora você. Junte as orações numa só:

    Márcio tem uma peteca.   O cachorro veio pulando.
    Márcio tem um pião.   O cachorro veio latindo.

2 - **Escreva em seu caderno, que aconteceu com o novelo da vovó:**

As moscas

Logo cedo, Fábio e Didi foram até o pasto.

O asno mastigava espigas de milho.

Didi falou:

— Seu Chico, repare como o Xodó abana o rabo!

— É para afastar as moscas, Didi.

Se a pele do bicho está ferida, elas põem ali os seus ovos. Deles saem larvas e aí vira bicheira.

— Eu nunca vi ovo de mosca, falou a menina.

— Uma mosca põe mais de cem ovos de uma vez. São muito pequenos.

— Papai disse que a mosca pousa no lixo, no esterco, nos escarros e nas comidas, falou Fábio.

— Isso mesmo. O jeito é acabar com elas para evitar moléstias.

I - ESTUDANDO AS PALAVRAS

1 - Leia:

bicheira	- ferida cheia de vermes
larvas	- vermes
moléstia	- doença
pasto	- lugar onde o gado pasta

2 - Copie as orações trocando as palavras em negrito por outras que dizem a mesma coisa:

Seu Chico curou a **bicheira** do Xodó.

As **larvas** desapareceram da ferida.

As vacinas evitam as **moléstias**.

II - VOCÊ ENTENDEU O QUE LEU?

1 - Leia a lição e responda em seu caderno:

Que o asno está fazendo no pasto?
Como ele se livra das moscas?
Onde as moscas põem seus ovos?
De onde saem as larvas?
Você acha que devemos acabar com as moscas? Por quê?

2 - Copie o que Fábio falou sobre a mosca.

III - É BOM FALAR E ESCREVER CERTO

1 - Copie e forme palavras:

sa	se	si	so	su
na	ne	ni	no	nu
ja	je	ji	jo	ju
pa	pe	pi	po	pu

2 - Copie as palavras escrevendo a letra s que falta:

O a☐no e☐tá no pa☐to.
Ele ma☐tiga uma e☐piga de milho.
Xodó abana o rabo para e☐pantar a☐ mo☐ca☐.
A mosca pousa no e☐terco e na☐ comida☐.

──────── IV - VAMOS APRENDER NOSSA LÍNGUA? ────────

1 - Leia:

Papai **disse** que a mosca pousa no lixo.
Papai **falou** que a mosca pousa no lixo.

Disse e falou querem dizer a mesma coisa.

> As palavras com o mesmo sentido chamam-se:
> **sinônimos**

2 - Copie e mude as palavras em negrito pelos seus sinônimos:

Uma mosca **bota** mais de cem ovos.
Dos ovos das moscas saem **vermes**.

3 - Copie as orações trocando as palavras em negrito por um dos sinônimos:

| contente | acordou | escutou |

Seu Chico **despertou** cedo.
Ele **ouviu** barulho lá fora.
Ficou **alegre** ao ver Fábio.

4 - Leia:

Eu cheguei **cedo**.
Você chegou **tarde**.

> **Cedo** e **tarde** são **palavras de sentido contrário.**
> Chamam-se **antônimos**

Escreva os antônimos de:

grande - feio - pouco - velho

---

5 - Copie trocando as palavras em negrito pelos antônimos:

Aquele menino é **pobre**.   Cheguei **tarde** na escola.

Perdi o caderno de desenho.   Eu moro **perto** da praça.

---

6 - Separe as sílabas das palavras e torne a juntar. Veja o modelo:

| pasto | pas-to | pasto |

mosca   espiga   casca

───────────── **V - REDAÇÃO** ─────────────

Olhe os quadrinhos. Escreva uma história sobre eles.

───────────── **VI - PENSE E ESCREVA** ─────────────

Xodó está com uma bicheira no lombo. Que aconteceu?

42

Bem feito!

Artur é irmão de Chiquinho.

À tarde ele foi chamar Fábio.

— Vamos ao pomar pegar ninhos e matar passarinhos?

— Não, Artur. Não devemos judiar dos animais.

O garoto foi-se a correr e a pular.

Ao ver um sabiá cantando numa árvore armou o bodoque, fechou um olho, acertou a pontaria e ... zás!

Mas, a pedra foi bater numa casa de marimbondos que, enfurecidos, encheram o menino de ferroadas.

Que dor!

Poxa! Que sorte a do Fábio!

I - ESTUDANDO AS PALAVRAS

1 - Leia:

bodoque	- atiradeira
ferroadas	- picadas com ferrão
judiar dos animais	- maltratar os animais
pomar	- lugar plantado de árvores que dão frutos

2 - Copie substituindo as palavras em negrito por sinônimos:

Fábio sabe fazer **bodoque**.
Abelhas e marimbondos dão **ferroadas**.
Você será capaz de **judiar dos animais**?

II - VOCÊ ENTENDEU O QUE LEU?

1 - Complete no seu caderno substituindo a ☆.

Artur foi ao ☆.
Ele armou o ☆ para matar um ☆.
A pedra acertou numa ☆.

2 - Responda:

Artur fez um convite ao Fábio. Qual foi?
Voce aceitaria o convite de Artur? Por quê?
Que fizeram os marimbondos ao receber a pedrada?
Você acha que o Fábio teve sorte? Por quê?

III - É BOM FALAR E ESCREVER CERTO

Copie completando as palavras com r :

Uma ta☐de A☐tu☐ foi ao poma☐.
Ele que☐ia pega☐ ninhos e mata☐ passa☐inhos.
A☐mou o bodoque pa☐a atira☐.
A☐tur não ace☐tou. Não teve so☐te.
O passarinho fugiu.

44

IV - VAMOS APRENDER NOSSA LÍNGUA?

1 - Leia as orações:

Afirmativas	Negativas
Vá ao pomar.	**Não** vá ao pomar.
Eu como pão.	Eu **nunca** como pão.
Você judiou do gato.	**Ninguém** judiou do gato.
Hoje viajarei de avião.	**Jamais** viajarei de avião.

As orações **afirmativas** e **negativas** terminam com **ponto final** •

O ponto final indica que a oração terminou.

2 - Leia a oração:

Vamos ao pomar pegar passarinhos?

É uma oração **interrogativa**.

Ela está **perguntando** ou **interrogando**.

Termina com ponto de **interrogação** ?

3 - Leia agora a frase e a oração exclamativa:

Que susto!

Como a manhã está linda!

As frases e orações **exclamativas** indicam: susto, espanto, alegria ou tristeza.

Terminam com ponto de **exclamação** !

4 - Forme orações interrogativas com as palavras:

    sorvete   chutar   pião

5 - Copie só as orações exclamativas:

    Como eu gosto de pular corda!
    Artur foi ao pomar.
    Que susto levei hoje!
    Onde está meu cobertor?

6 - Escreva uma oração afirmativa e outra interrogativa com as palavras:

    | pomar e frutas |

V - REDAÇÃO

Olhe as figuras e escreva a história em seu caderno:

VI - PENSE E INVENTE

Tarefa para casa:

    Em uma folha de papel de desenho, represente os pontos de **interrogação** e de **exclamação** como quiser: desenho, grãos colados, macarrão, fita ou tampinhas etc.

A onça pintada

Depois da janta, Fábio leu para Didi e Bebê a história da onça pintada.

A onça pintada morava na mata.

Escondia-se na toca e caçava os animais que iam beber água no riacho ali perto.

Aos poucos ia acabando com eles.

Um dia os bichos se reuniram e combinaram espantar a fera.

Enquanto ela dormia, cercaram a toca.

Escondidos nas moitas começaram a fazer barulho todos juntos.

O cavalo rinchando.

O bode berrando.

O macaco guinchando.

O lobo uivando.

O gato-do-mato miando.

O galo cantando.

O burro zurrando.

I - ESTUDANDO AS PALAVRAS

1 - Leia:

> **espantar** - enxotar, afugentar
> **fera** - animal bravio da floresta
> **riacho** - rio pequeno, regato
> **toca** - buraco, covil

2 - Copie e substitua as palavras em negrito pelos sinônimos:

A **fera** se escondia na **toca**.
Os bichos bebiam água no **riacho**.
A bicharada queria **espantar** a onça.

II - VOCÊ ENTENDEU O QUE LEU?

1 - Responda em seu caderno:

Qual a principal personagem da história?
Onde se escondia ela? Por quê?

2 - Esta história tem uma parte real e outra que não é.

Copie a parte que você não acha verdadeira.

III - É BOM FALAR E ESCREVER CERTO

Copie no seu caderno, completando as palavras com ⬜n :

A o⬜ça pi⬜tada a⬜dava esco⬜dida no mato para caçar os animais.

Aos poucos ia acaba⬜do com eles.

Os bichos combinaram espa⬜tar a fera.

E⬜qua⬜to ela dormia, esco⬜deram-se nas moitas e começaram a fazer barulho todos ju⬜tos.

48

IV - VAMOS APRENDER NOSSA LÍNGUA?

1 - Leia:

O cavalo, o bode, o macaco, o lobo, o galo e o burro começaram a fazer barulho.

O sinalzinho que está separando as palavras chama-se:

vírgula ,

A vírgula é usada:

a) Para indicar pequena parada entre palavras e expressões:

O cavalo relinchou, o bode berrou, o galo cantou
e o burro zurrou.

b) Para separar o nome do lugar, quando escrevemos uma data.

Brasília, 25 de janeiro de 1985

c) Nos endereços:

Avenida Bandeirantes, n.° 158
Rua Sete de Setembro, n.° 60

d) Para separar o nome de uma pessoa com quem estamos falando:

Maneco, venha cá.
Didi, onde está o Fábio?

---

2 - Copie e coloque a vírgula onde for necessário:

Ganhei uma bola uma peteca um pião e uma gaitinha.
Luís em que dia você faz anos?
Curitiba 12 de fevereiro de 1985
Rua Tiradentes n.° 220

3 - **Leia:**

onça   poço   açucareiro

ça   ço   çu

O sinalzinho que aparece debaixo da letra c chama-se **cedilha**.
Ele modifica o som da letra.

---

4 - **Agora veja:**

cebola   bacia

ce   ci

Você reparou que em **ce** e **ci** não se põe cedilha?

---

5 - **Escreva palavras com:**

ça   ço   çu   ce   ci

V - REDAÇÃO

Forme quatro orações sobre a **onça pintada**:

   uma afirmativa
   uma negativa
   uma interrogativa
   uma exclamativa

VI - PENSE E DESENHE

A onça quer comer o coelhinho.
Desenhe, em seu caderno, uma toca para ele se esconder.

A onça sem pintas

A onça ficou assombrada.

Que seria aquilo?

Como era cautelosa, decidiu ir embora.

Saiu abaixada por entre as moitas de capim.

Mas, os bichos estavam de tocaia:

O cavalo e o burro deram-lhe coices.

O bode meteu-lhe os chifres.

O macaco cutucou-a com um bambu.

O galo meteu-lhe as esporas.

O lobo mordeu-a nas orelhas e no rabo.

O gato-do-mato arranhou-lhe o focinho.

A fera, empurrada, despencou do barranco e rolando... rolando... caiu lá embaixo na lama.

Que tombo! Até as pintas sumiram.

Mancando, a onça sumiu no mato e nunca mais souberam dela.

I - ESTUDANDO AS PALAVRAS

1 - Leia:

> **assombrada** - espantada
> **cautelosa** - cuidadosa
> **de tocaia** - de vigia, escondida para vigiar

2 - Copie substituindo as palavras em negrito pelos sinônimos:

A onça ficou **assombrada**.

Ela decidiu ir embora, porque era **cautelosa**.

Os bichos ficaram **de tocaia**.

II - VOCÊ ENTENDEU O QUE LEU?

1 - Copie em seu caderno, o melhor nome para a história:

A onça sabida

A onça valente

A onça manca

2 - Cada bicho usou uma arma para castigar a fera.

Olhe no texto e copie certo no caderno:

O lobo usou ☆.

O macaco usou ☆.

O cavalo usou ☆.

O burro usou ☆.

O galo usou ☆.

O bode usou ☆.

O gato-do-mato usou ☆.

III - É BOM FALAR E ESCREVER CERTO

1 - Copie e separe em sílabas as palavras:

| burro | arranhou | empurrada | barranco |

2 - Copie completando as palavras com `m`

    e ☐ baixo   ba ☐ bu   capi ☐.
    e ☐ bora   te ☐ po   estava ☐.
    e ☐ purra   to ☐ bo   sumira ☐.

Você viu que antes de `b` e `p` só se escreve `m`

3 - Escolha `m` **ou** `n` **para completar as palavras:**

A o☐ça ficou asso☐brada co☐ o barulho.
Ela se esco☐deu e☐tre as moitas de capi☐.
Os bichos e☐purrara☐ a fera.
Ela despe☐cou do barra☐co e caiu lá e☐baixo.
Que to☐bo!

IV - VAMOS APRENDER NOSSA LÍNGUA?

1 - Copie e passe um traço embaixo dos grupos de vogais:

Papai tomou leite e comeu pão.

2 - Copie e passe um traço embaixo dos grupos de consoantes:

Pedro trocou o breque da bicicleta.

V - REDAÇÃO

Conte, em seu caderno, quem é o cachorrinho e que faz ele.

VI - PENSE E ESCREVA NO CADERNO

1 - Escreva os nomes de dois animais com quatro patas e chifres.

Seu Chico

O papai e o vovô gostam muito de falar com Seu Chico.

Seu Chico sabe tudo:

cavar e adubar a terra;
plantar e tratar do canavial, do milharal, do pomar e da horta;
cuidar dos animais;
limpar o curral, a cocheira, o chiqueiro;
retirar mel e cera das colmeias;
colher milho, legumes e frutas;
tirar leite da Malhada;
fazer queijo e manteiga;
curar bicheira, gogo das galinhas e bicho-de-pé;
olhar as horas pelo Sol.

Homem sabido, Seu Chico.

I - ESTUDANDO AS PALAVRAS

1 - Leia:

> **adubar a** - colocar adubo na
> **bicheira** - ferida nos animais, ferida com bichos
> **chiqueiro** - curral de porcos, pocilga
> **cocheira** - estrebaria, cavalariça

2 - Copie trocando as palavras em negrito pelos sinônimos:

Seu Chico vai **adubar a** terra.
Vi dois cavalos na **cocheira.**
Papai fez um **chiqueiro** e prendeu o porquinho.
Seu Chico sabe curar **bicheira** dos animais.

II - VOCÊ ENTENDEU O QUE LEU?

Complete as ações de Seu Chico em seu caderno. Veja o modelo:

Seu Chico sabe tudo:

Sabe **cavar** e adubar a terra.

Sabe **colher** ☆   Sabe **tirar** leite ☆

Sabe **retirar** ☆   Sabe **olhar** ☆

55

III - É BOM FALAR E ESCREVER CERTO

1 - Leia e copie: **almoço** - al   el   il   ol   ul

2 - Copie as palavras e faça um traço embaixo das que fazem parte da lição:

Sol	anil	curral	alto
mel	anzol	canavial	salto
mil	papel	milharal	colmeias

IV - VAMOS APRENDER NOSSA LÍNGUA?

1 - No triângulo formei palavras de uma, duas, três e quatro sílabas:

Sol - tem 1 sílaba
ce-ra - tem 2 sílabas
man-tei-ga - tem 3 sílabas
ga-li-nhei-ro - tem 4 sílabas

Palavras com uma sílaba são chamadas:

monossílabas
mão - nó - pé

Palavras com duas sílabas são chamadas:

dissílabas
leite - milho - pomar

Palavras com três sílabas são chamadas:

trissílabas
galinha - chiqueiro - animal

Palavras com quatro ou mais sílabas são chamadas:

polissílabas
galinheiro - fogareiro

2 - Copie as palavras e continue como o modelo:

> patinho — pa-ti-nho — 3 sílabas — trissílaba

fruta
cocheira
mãe
canavial

3 - Aumente tudo, com a terminação ão   Veja o modelo:

> parede   - paredão

sobrado   bode   calçada
machado   bigode   folgado
enxada   canudo   telhado

V - REDAÇÃO

Você foi a um sítio.

Complete no seu caderno contando como foi o passeio:

Eu fui ☆.
Eu vi ☆.
Eu ouvi ☆.
Eu senti ☆.
Eu voltei ☆.

VI - PENSE E ESCREVA

Junte os numerais da lista e forme palavras. Veja o modelo:

1	2	3	4
bi	chei	va	ca

5	6	7	8
li	ra	ga	nha

1 - 2 - 6 (bicheira)
2 - 6   (cheira)
3 - 4   (☆   )
1 - 4   (☆   )
5 - 8   (☆   )
7 - 5 - 8 (☆   )
7 - 8   (☆   )

57

Na horta

Hoje cedo, Didi e a vovó Helena foram à horta para colher hortaliças e folhas de hortelã.

O vovô Hugo toma chá todas as noites.

Apanharam salsa, cebolinha e louro para temperar a comida.

O canteiro das verduras estava uma beleza!

Ali havia repolhos, couves, alfaces e tomates.

Colheram cenouras, pimentões e quiabos.

De repente a menina berrou:

— Veja vovó, que bicho horrível está ali!

— Não se assuste, Didi. Aquele é compadre Sapo abrindo seu bocão para comer bichinhos nocivos às plantas, falou a vovó.

I - ESTUDANDO AS PALAVRAS

1 - Leia e copie:

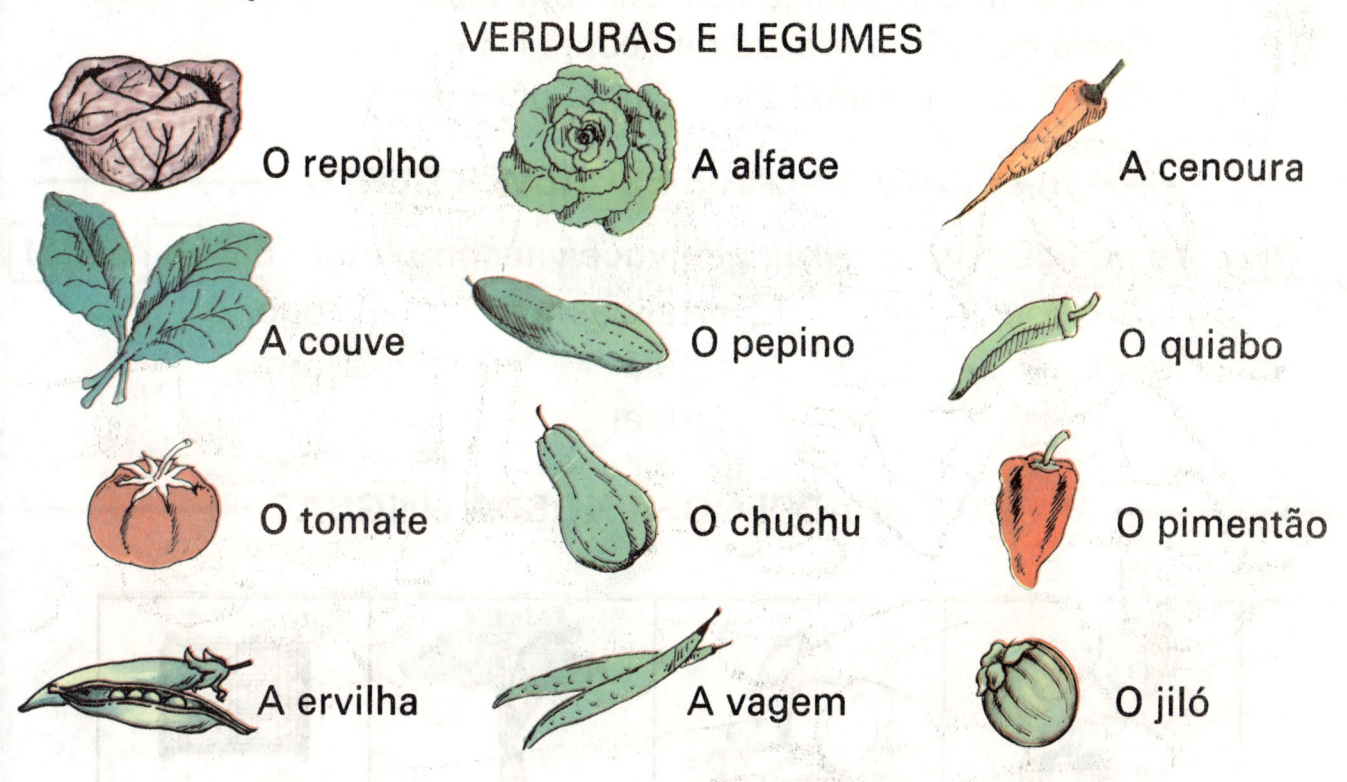

VERDURAS E LEGUMES

O repolho A alface A cenoura

A couve O pepino O quiabo

O tomate O chuchu O pimentão

A ervilha A vagem O jiló

2 - Leia:

hortaliças	- verduras
horrível	- muito feio, horroroso
legumes	- frutos de plantas em forma de vagem
nocivos	- que prejudicam

3 - Copie e troque as palavras em negrito pelos sinônimos:

Vovó Helena colheu **hortaliças**.

A barata é um bicho **horrível**.

Os pulgões são **nocivos** às plantas.

II - VOCÊ ENTENDEU O QUE LEU?

1 - Leia e responda em seu caderno:

Vovó e Didi foram à horta. Que colheram?

Quem se assustou? Por quê?

Que disse a vovó?

2 - Escreva no caderno:

Você acha que Didi já conhecia um sapo?
Copie da lição a oração que conta isso.
O sapo é um animal útil.   Conte porque.

─────────── **III - É BOM FALAR E ESCREVER CERTO** ───────────

1 - Procure na lição as palavras que você vai completar com h ou H

- ☐ elena
- ☐ avia
- ☐ ortaliças
- ☐ ortelã
- ☐ orrível
- ☐ ugo
- ☐ orta

─────────── **IV - VAMOS APRENDER NOSSA LÍNGUA?** ───────────

1 - Leia:

| menino | coelho | árvore | janela |

Todas as pessoas, animais, plantas, coisas e lugares têm nomes.
Os nomes de todos os seres que existem são:

nomes comuns

Escrevem-se com **letra minúscula**.

2 - Escreva no caderno, em coluna, nomes comuns de:

animais   frutas   brinquedos

3 - Copie e complete as orações com nomes comuns de bebidas:

Vou tomar ☆ com biscoitos.
Gosto muito de beber ☆.

4 - Copie e complete as orações com nomes comuns de comidas:

Hoje no almoço comi ☆.
O ☆ estava gostoso.

5 - Junte as orações em uma só:

Eu como verduras.
Eu como legumes.

6 - Copie da lição duas palavras polissílabas.

7 - Copie e complete substituindo a ☆. Veja o modelo:

O boi dá **chifradas** com os **chifres**.
Ela dá chineladas com ☆.
Ele dá chicotadas com ☆.
Eu dou unhadas com ☆.
Você dá joelhadas com ☆.
Nós olhamos com ☆.

V - REDAÇÃO

1 - Escreva orações com a palavra sapo :

Uma afirmativa e outra negativa.

2 - Responda no caderno:

Você já viu um sapo?
Como ele é? Descreva.
Onde estava?
Como anda?
Você acha o sapo útil? Por quê?

VI - PENSE E ESCREVA

Você come verduras e legumes?
Quais?
Se respondeu sim, parabéns!
Verduras e legumes fazem bem à saúde.

O pomar

Fábio e Didi gostam de passear no pomar. Ali há muitas árvores frutíferas:

a laranjeira com suas laranjas de qualidade;

a mangueira com suas mangas saborosas;

o pessegueiro com seus pêssegos perfumados;

a jabuticabeira com as jabuticabas pretinhas;

o abacateiro com seus abacates nutritivos;

o caquizeiro com seus caquis gostosos;

a bananeira com seu cacho de bananas madurinhas;

a limeira com suas limas refrescantes;

a ameixeira com suas ameixas deliciosas;

a pereira com suas peras macias;

o cajueiro com seus cajus suculentos;

a goiabeira com suas goiabas cheirosas;

o limoeiro com seus limões vitaminados;

o abacaxi com sua coroa, sem ser rei.

I - ESTUDANDO AS PALAVRAS

1 - Leia:

> **frutíferas** - que dão frutos
> **nutritivas** - que alimentam bem, que sustentam
> **saborosas** - gostosas, deliciosas
> **suculentos** - que têm muito suco

2 - Copie e substitua as palavras em negrito pelos sinônimos:

No pomar há muitas árvores **frutíferas**.
Que laranjas **saborosas**!
O abacateiro está carregado de abacates **nutritivos**.
Os cajus **suculentos** são os maduros.

II - VOCÊ ENTENDEU O QUE LEU?

Responda no caderno:

Onde estão as personagens?
É dia ou é noite?
Como é o dia?
Como é a noite?
Que fazem as personagens?
Você acha que devemos comer frutas? Por quê?
Costuma lavá-las antes de comer?

III - É BOM FALAR E ESCREVER CERTO

1 - Copie as palavras em seu caderno e complete com ss :

pa ☐ ear   pê ☐ egos   pá ☐ aro
pa ☐ eio   pe ☐ egueiro   pa ☐ arinho

VOCABULÁRIO ILUSTRADO

2 - Copie e complete substituindo a ☆. Veja o modelo:

As frutas

A laranja dá na laranjeira.    A lima ☆.

A manga ☆.   A ameixa ☆.

O pêssego  ☆.   A pera ☆.

A jabuticaba ☆.   O caju ☆.

O abacate ☆.   A goiaba ☆.

O caqui ☆.   O limão ☆.

IV - VAMOS APRENDER NOSSA LÍNGUA?

1 - Leia:

Fábio - é o nome de um menino.
Mico - é o nome de um macaco.
Brasil - é o nome de um país.
Paraná - é o nome de um estado do Brasil.
Natal - é o nome de uma cidade.
Amazonas - é o nome de um rio.

Os nomes que damos às pessoas, animais, países, estados, cidades, rios, e outros lugares são:

nomes próprios

Escrevem-se com letra maiúscula.

---

2 - Agora você.   Escreva nomes próprios para:

| uma cidade | uma menina | um gato | um livro |

---

3 - Separe em duas colunas os nomes comuns e os próprios:

Pará - banana - montanha - Benedita

Brasília - mesa - Luís - coelho

---

4 - Escreva nomes próprios começados com as letras:

| A | J | M | P |

V - REDAÇÃO

Olhe o que aconteceu:

Didi foi andando...
De repente... no pomar...
Que viu a menina?
Por que ela ficou alegre?
Que vai fazer?
Vai dar a alguma pessoa?
Conte no seu caderno.

VI - PENSE E ESCREVA

Você vai fazer uma salada de frutas, picadas bem miúdo, com açúcar. Que frutas você misturaria?

Quem sou eu ?

(Da autora)

Seguro a planta
E lhe dou a vida.
Embaixo da terra
Eu vivo escondida.

Eu sou a ☆

Rompendo o solo
Estendo meus braços,
Com grande esforço
Alcanço os espaços.

Eu sou o ☆

Minha serventia
Não é só respirar.
Eu busco também
A força solar.

Eu sou a ☆

Além de enfeitar,
É minha função
Conter o aparelho
Da reprodução.

Eu sou a ☆

Na minha polpa
Verde ou madura
Eu guardo a semente
Da planta futura.

Eu sou o ☆

I - ESTUDANDO AS PALAVRAS

1 - Leia:

> **esforço** - muita força
> **função** - utilidade, serventia
> **guarda** - protege
> **polpa** - parte carnuda
> **serventia** - utilidade
> **solar** - do Sol

Aparelho de reprodução da planta - consta de pistilo e estames que são os órgãos: feminino e masculino de algumas plantas. Estão no interior da flor.

2 - Copie trocando as palavras em negrito por sinônimos:

O tatu faz **esforço** para cavar a terra.
Você sabe qual a **serventia** do ar?
Um **raio solar** entrou pela janela.
Mamãe explicou a **função** da semente.
Comemos a **polpa** da laranja.
O fruto **guarda** a semente.

II - VOCÊ ENTENDEU O QUE LEU?

1 - Copie a poesia e complete respondendo:

- Que segura a planta embaixo da terra?
- Quem alcança os espaços?
- Por onde a planta respira?
- Que faz a flor, além de enfeitar?
- Onde fica guardada a semente?

2 - Escreva o nome de 3 frutas carnudas, que têm polpa.

67

3 - Complete as rimas copiando da poesia:

Vida rima com **escondida**. **Madura** rima com ☆.
Braços rima com ☆. **Respirar** rima com ☆.
Função rima com ☆

─────── III - É BOM FALAR E ESCREVER CERTO ───────

1 - Copie as palavras escrevendo nos espaços ç :

bra ☐ os   for ☐ a   espa ☐ os
esfor ☐ o   fun ☐ ão   cabe ☐ a
alcan ☐ o   reprodu ☐ ão   pesco ☐ o

2 - Procure e escreva no caderno duas palavras com ce e ci .

─────── IV - VAMOS APRENDER NOSSA LÍNGUA? ───────

1 - Escreva o par de cada animal, substituindo a ☆.

Nomes masculinos   **Nomes femininos**

O bode   A ☆

O galo   A ☆

Um leão   Uma ☆

Um pato   Uma ☆

Antes dos nomes **masculinos** escrevemos: o - um

Antes dos nomes **femininos** escrevemos: a - uma

68

2 - Copie as palavras e escreva:

    ☐o antes das palavras masculinas

    ☐a antes das palavras femininas

☆ terra	☆ escola	☆ água
☆ noite	☆ bola	☆ pasto
☆ dia	☆ pião	☆ mosca
☆ janta	☆ menina	☆ boi

3 - Leia e copie outras palavras masculinas e femininas.

Masculino	Feminino	Masculino	Feminino
príncipe	- princesa	campeão	- campeã
compadre	- comadre	bode	- cabra
padrasto	- madrasta	cão	- cadela
padrinho	- madrinha	carneiro	- ovelha
marido	- mulher	cavalo	- égua
imperador	- imperatriz	elefante	- elefanta

V - REDAÇÃO

1 - Olhe os desenhos e conte uma história.

2 - Copie as palavras e escreva à frente os numerais de cada uma:

    1   2   3   4

   (on) (ma) (va) (co)

    5   6   7   8

   (ca) (lo) (ça) (ga)

onça   (1 - 7)
galo   (☆)
macaco (☆)
cavalo (☆)

Que menino teimoso!

Fábio avisou que ia visitar seu amigo José, no sítio Paraíso.

— Não passe pela mata, falou Seu Chico. É perigoso. Você pode dar com uma jibóia ou um sací.

— Cruz, credo! disse a Zazá se benzendo.

— Saci não existe, Seu Chico.

— Acha que sou mentiroso, Fábio?

O saci é um pretinho de uma perna só.

Anda com cachimbo na boca e gorro vermelho na cabeça.

Aparece no meio de um redemoinho.

Abusa de bicho e de gente.

Depois, sai aos pulos, dando risada.

— Pois vou pela mata, desafiou Fábio rindo.

O caseiro resmungou:

— "Quem avisa, amigo é."

I - ESTUDANDO AS PALAVRAS

1 - Leia:

caseiro	- homem que toma conta de uma casa, de um sítio
desafiou	- provocou
jibóia	- serpente, enorme cobra
redemoinho	- pé-de-vento
resmungou	- rosnou, falou entre dentes
saci	- negrinho de uma perna só, que usa gorro vermelho e fuma cachimbo, de acordo com a crendice popular

2 - Copie trocando as palavras em negrito por sinônimos:

Fábio não tem medo de **jibóia**.
A lição fala de um **saci**.
O vento formou um **redemoinho**.
Fábio **desafiou** o **caseiro**.
O caseiro **resmungou** nervoso.

II - VOCÊ ENTENDEU O QUE LEU?

1 - Responda em seu caderno:

Que amigo Fábio foi visitar?
Sobre que assunto as personagens estão falando?
Você acha que saci existe?
Como é o saci?

2 - Conte com suas palavras, que quer dizer:

— "Quem avisa amigo é".

3 - Leia a lição e escreva quem disse:

- Cruz, credo!   Foi ☆
- Saci não existe.   Foi ☆
- "Quem avisa, amigo é.   Foi ☆

---------- III - É BOM FALAR E ESCREVER CERTO ----------

1 - Copie em seu caderno, estas palavras da lição:

abusa	risada	caseiro
avisa	desafiou	teimoso
avisou	José	perigoso
visitar	Paraíso	mentiroso

Você reparou que o [s] quando está entre as vogais [a e i o u] tem som de [z]?

---------- IV - VAMOS APRENDER NOSSA LÍNGUA? ----------

1 - Leia:

	o saci	**singular** (um só)
	os sacis	**plural** (mais de um)

2 - Continue fazendo o plural em seu caderno.   Veja os modelos:

A cabeça	- As cabeças	O bicho	- Os bichos
A caçula	- ☆	O bichinho	- ☆
A onça	- ☆	O chinelo	- ☆
A cebola	- ☆	O piolho	- ☆
A cesta	- ☆	O palhaço	- ☆
A cinta	- ☆	O caminho	- ☆
A cidade	- ☆	O vizinho	- ☆

3 - Leia o plural das palavras e copie em seu caderno:

mulher	- mulheres		luz	- luzes
colher	- colheres		rapaz	- rapazes
diretor	- diretores		nariz	- narizes
caçador	- caçadores		paz	- pazes

4 - Agora leia muitas vezes. Depois copie:

jornal	- jornais		anel	- anéis
animal	- animais		papel	- papéis
varal	- varais		lençol	- lençóis
casal	- casais		anzol	- anzóis

5 - Copie e escreva o plural das frases, substituindo a ☆:

O lençol rasgado - Os ☆.   A mulher bonita - As ☆.
O anzol pequeno - Os ☆.   O diretor novo - Os ☆.
O animal peludo - Os ☆.   O nariz curto - Os ☆.

6 - Escreva no singular. Veja o modelo:

Os carretéis - O carretel   Os animais - ☆
Os rapazes - ☆   Os papéis - ☆
Os juízes - ☆   As mulheres - ☆

V - REDAÇÃO

Olhe as ilustrações e invente uma história de "saci".

VI - PENSE E DESENHE

Faça um saci em seu caderno, como você imagina.

19

Encontro com o saci-pererê

Fábio saiu falando sozinho:

— Jibóia! Saci! Invenção de jeca.

Na mata passou pelo jequitibá gigante. Viu girassóis e bichinhos que fugiam para suas tocas.

O vento agitou os ramos. Um redemoinho começou a girar, levantando folhas secas.

Ao longe o menino ouviu:

— Fiu....u....u....u....

Ficou gelado! Seu coração bateu com força:

— Toc, toc! toc, toc! toc, toc!

De repente, um moleque pretinho surgiu diante dele fazendo gestos.

Arregalou os olhos, com os cabelos em pé.

Começou a correr.... e o saci atrás.

Só quando tropeçou e caiu é que viu o cujo.

Riu sem jeito. Era o Jeremias, filho do caseiro do sítio Paraíso.

74

I - ESTUDANDO AS PALAVRAS

1 - Leia:

agitou	-	sacudiu
invenção	-	coisa inventada por
jeca	-	caipira
jequitibá	-	grande árvore com até 30 m. de altura
o cujo	-	o fulano, o cara, o sujeito

2 - Copie substituindo as palavras em negrito por sinônimos:

Fábio acha que saci é **invenção** de **jeca**.

O vento **agitou** os ramos do **jequitibá**.

A poeira fez um **redemoinho**.

O cujo estava escondido.

II - VOCÊ ENTENDEU O QUE LEU?

1 - Veja os desenhos. Copie as orações verdadeiras.

Fábio foi pela mata:

Passou pela casa do coelho.	Viu girassóis.	Viu bichinhos que se escondiam na mata.
Ao longe ouviu: fiu...	Um redemoinho começou a girar.	De repente ele viu um saci.

2 - Leia a lição e responda em seu caderno:

- Quem saiu falando sozinho?
- Em que lugar Fábio estava?
- Que fez as folhas secas se levantarem?
- Que pensou o menino quando viu o redemoinho?
- Fábio encontrou-se com o saci?
- Quem era Jeremias?

III - É BOM FALAR E ESCREVER CERTO

1 - Copie e complete as palavras da lição com g ou j :

☐ elada	a ☐ itou	☐ eremias
☐ estos	fu ☐ iam	☐ eca
☐ irar	sur ☐ iu	☐ eito
☐ irassóis	lon ☐ e	☐ equitibá
☐ igante	ima ☐ inação	☐ ibóia

2 - Copie as palavras e ponha acento circunflexo ∧ :

| ve | bebe | nene |
| avo | alo | voce |

IV - VAMOS APRENDER NOSSA LÍNGUA?

1 - Leia:

| coelho | coelhinho | coelhão |
| Tamanho normal | Diminutivo | Aumentativo |

2 - **Copie e escreva o aumentativo das palavras em** ão

Veja o modelo:

Garrafa grande é **garrafão**.
Panela grande é ☆.
Sapato grande é ☆.
Gato grande é ☆.
Menino grande é ☆.

3 - **Copie os desenhos e escreva o tamanho das bolas:**

bolão   bola   bolinha

4 - **Copie e mude as orações afirmativas para negativas.**

Aí está um modelo para você:

Saci existe.   Saci **não** existe.
Fábio viu o jequitibá.   ☆
O menino teve medo.   ☆
Fábio correu.   ☆

───────── V - REDAÇÃO ─────────

Escreva a história de um susto que você levou.

Você saiu à noite.
De repente viu uma coisa enorme no escuro.
Seus olhos se arregalaram.
Os cabelos ficaram em pé.
Conte o que era e que aconteceu.

───────── VI - PENSE E DESENHE ─────────

Faça no caderno o desenho de um animal da floresta.

A vida no sítio

Aquilo sim, era vida!
Não havia cinemas, circos, como na cidade.
Mas, era bom acordar cedo!
Respirar o ar puro, correr, pular.
Tomar leite no curral.
Nadar, mergulhar, boiar.
Comer frutas no pomar.
Sentar na rede e balançar.
Sair a pé ou montar no asno.
Ouvir histórias de saci e de lobisomem.
Brincar de roda no terreiro.
Olhar a Lua, o céu estrelado.
Ver os vaga-lumes piscando no escuro.
Dormir naquele silêncio, ouvindo o cri-cri dos grilos e o coaxar dos sapos.

I - ESTUDANDO AS PALAVRAS

1 - Leia:

boiar	- flutuar sobre a água
coaxar	- a voz da rã e do sapo
curral	- abrigo para o gado
despertar	- acordar
lobisomem	- homem-lobo (de ocordo com a crença do povo)
terreiro	- terreno largo e plano

2 - Copie substituindo as palavras em negrito por sinônimos:

Era bom nadar e **boiar**.
Fábio e Didi foram tomar leite no **curral**.
As crianças brincavam no **terreiro**.
Quem acredita em **lobisomem**?
Naquele silêncio, ouvia-se o **coaxar** dos sapos.
Gosto de **despertar** cedo.

II - VOCÊ ENTENDEU O QUE LEU?

1 - Olhe as ilustrações da lição.

Fale da que mais gostou e escreva o que está acontecendo.

2 - Copie completando as ações em seu caderno, olhando na lição.

Era bom ☆.	Comer ☆.
Respirar ☆.	Sentar ☆.
Tomar ☆.	Olhar ☆.
Nadar ☆.	Ver ☆.

3 - Responda em seu caderno:

- Que não havia na cidade?
- Que histórias se podia ouvir?
- Que significa céu estrelado?
- Como é a voz dos grilos?
- De que já brincaram vocês?
- Como foi a brincadeira?

4 - Leia de novo a lição e responda no caderno:

Por que se podia ouvir o cri-cri dos grilos e o coaxar dos sapos?

─────── III - É BOM FALAR E ESCREVER CERTO ───────

1 - Copie da lição palavras com: ce - ci e se - si

2 - Complete em seu caderno as palavras com ce **ou** ci **:**

☐ do	fo ☐ nho	☐ dade
do ☐	mo ☐ nho	☐ nema
ca ☐ te	on ☐ nha	ma ☐ o
capa ☐ te	la ☐ nho	te ☐ do

─────── IV - VAMOS APRENDER NOSSA LÍNGUA? ───────

1 - Olhe:

Aqui vemos um peixe.    Aqui vemos uma coleção de peixes.
                         É um **cardume**.

As palavras que indicam coleção de alguma coisa chamam-se:

coletivos

2 - **Conheça alguns coletivos:**

alfabeto: de letras
bando: de aves, de crianças
boiada: de bois
cacho: de frutas
enxame: de abelhas
feixe: de lenha ou varas
floresta: de árvores
ninhada: filhotes e ovos
ramalhete: de flores
réstia: de cebolas e alho

3 - **Copie as orações e substitua a ☆ por coletivos:**

Didi encontrou no mato uma ☆ de ovos.
Levei para mamãe um ☆ de flores.
O boiadeiro acompanha a ☆.
No rio do sítio há um ☆ de peixes.

4 - **Continue, em seu caderno.** Veja o modelo:

O coletivo de laranjeiras é **laranjal**.
O coletivo de algodoeiros é ☆.
O coletivo de bananeiras é ☆.
O coletivo de cafeeiros é ☆.

5 - **Copie da lição ações terminando em:** ar - er - ir

Veja:

ar	acordar
er	correr
ir	sair

V - REDAÇÃO

Olhe os desenhos e conte uma história em seu caderno.

Proezas do Mico

O Mico quis espantar os bichos:
corria atrás das aves;
subia e descia nos galhos como um ioiô;
pendurava-se pelo rabo;
virava cambalhotas e fazia caretas.

Parecia um saci-pererê.

Bebê ria. Totó e Pichochó latiam.

Vovó e as crianças enxotavam:

— Xô! xô! xô!

Em má hora o Mico montou no asno.

Prequeté... prequeté... o animal corria com o macaco grudado no lombo.

De repente, Xodó deitou-se no chão se espojando e levantando um poeirão.

Lá se foi o Mico mancando e coçando o rabo.

Você acha o asno tolo? Pois ele é um sabidão!

I - ESTUDANDO AS PALAVRAS

1 - Leia:

> **cambalhotas** - reviravolta com o corpo, viravolta
> **enxotavam** - afugentavam
> **espojando** - rebolando no chão
> **sabidão** - espertalhão

2 - Copie trocando as palavras em negrito por sinônimos:

O Mico dava **cambalhotas** no quintal.
O asno **afugentava** as moscas com o rabo.
Eu vi o cavalo se **espojando** no chão.
O asno é um **sabidão**.

II - VOCÊ ENTENDEU O QUE LEU?

1 - Responda, em seu caderno:

Qual a principal personagem da história?
Que ela está fazendo?
O asno está gostando da brincadeira? Por quê?
Como ele corria?
Quem está apreciando a cena?
Você acha que o asno foi esperto?

2 - Copie as orações, pela ordem em que aparecem na lição:

- O animal corria com o macaco grudado no lombo.
- O Mico quis espantar os bichos.
- Lá se foi o Mico mancando e coçando o rabo.
- Parecia um saci-pererê.
- Em má hora o Mico montou no asno.

III - É BOM FALAR E ESCREVER CERTO

1 - Copie da lição as palavras terminadas em vogais, acentuadas assim:

| á | é | ê | ó | ô |

2 - Escreva palavras com as sílabas abaixo:

    qua   que   qui
    quadro   moleque   caqui

IV - VAMOS APRENDER NOSSA LÍNGUA?

1 - Nas palavras há sílabas que se pronunciam com mais força.

Leia as palavras:

    Totó   rabo   óculos
    tó   **ra**   **ó**

> A sílaba mais forte de uma palavra chama-se:
> **sílaba tônica**

2 - Separe as palavras em sílabas e circule a sílaba tônica, assim:

> boneca - bo (ne) ca

    café   asno   careta
    animal   vovó   folha

3 - Copie e separe as sílabas das palavras, assim:

> cachorro - ca-chor-ro

    terra   carroça
    torre   barriga
    ferro   derruba

4 - Leia:

girassol **lindo**   cravo **vermelho**

A palavra **lindo** é uma qualidade do girassol.
A palavra **vermelho** é uma qualidade do cravo.

5 - Copie e passe um traço debaixo das qualidades:

folha larga   asno sabido
galho seco   bicho feio
rabo comprido   macaco arteiro

V - REDAÇÃO

1 - Conte em seu caderno:

Você gostaria de morar no sítio ou na cidade?
Por quê?

2 - Forme orações com as expressões:

céu estrelado   piscando no escuro

VI - PENSE E ESCREVA

Faça uma lista de coisas que fazem barulho:

| na cidade | no sítio |
| na escola | no futebol |

22

Que formigas!

Didi e sua amiguinha Guiomar olham um formigueiro debaixo da mangueira.

As formiguinhas vão em ziguezague carregando sementes, folhas e ciscos.

Uma delas achou uma barata morta, mas não pôde carregá-la.

Chamou as companheiras e, juntas, arrastaram o bichinho até o formigueiro.

— Vamos ver o que elas farão, disse Guiomar.

— Aposto que não conseguirão guardá-la, respondeu Didi.

As duas linguarudas, admiradas, assistiram à divisão do inseto em pedacinhos.

— Que açougueiras! Nunca vi coisa igual!

— E dividiram o bicho sem faca, disse Didi.

I - ESTUDANDO AS PALAVRAS

1 - Leia:

> **andar em ziguezague** - andar formando linhas quebradas
> **inseto** - pequeno animal sem ossos, corpo dividido em três partes, um par de antenas e três pares de patas: barata, pernilongo, abelha
> **linguaruda** - mexeriqueira, faladora

2 - Copie substituindo as palavras em negrito pelos sinônimos:

O bebê andou em **ziguezague**.

Eu não gosto de gente **linguaruda**.

II - VOCÊ ENTENDEU O QUE LEU?

Responda em seu caderno:

Como andam as formigas?
Que carregam?
Por que a formiga não pôde carregar a barata?
Quem a ajudou?
Que aposta fez Didi?
Ela ganhou ou perdeu a aposta?

III - É BOM FALAR E ESCREVER CERTO

Copie da lição palavras com:

| gua | gue | gui |

VI - VAMOS APRENDER NOSSA LÍNGUA?

1 - Repare. A **qualidade** pode estar antes ou depois do **nome**.

Antes	Depois
lindo dia	dia **lindo**
bom amigo	amigo **bom**

2 - Copie e passe um traço debaixo das qualidades:

    bonito jogo   osso duro
    boa noite   lição errada
    feliz viagem   tomate maduro

3 - Copie e escreva uma qualidade para cada desenho.
    Veja o modelo:

    laranja....   cenoura....   faca....

4 - Separe as sílabas das palavras e torne a juntar:

    formiguinha   fogueira   mangueira
    formigueiro   figueira   coleguinha

5 - Copie e passe para o diminutivo. Veja o modelo:

    lago - laguinho   amiga - ☆   foguete - ☆
    fogo - ☆   amigo - ☆   formiga - ☆

6 - Conheça alguns aumentativos:

    homem - homenzarrão   vassoura - vassourão
    cão   - canzarrão   casa   - casarão
    boca - bocarra   nariz   - narigão

7 - Copie substituindo a palavra em negrito pelos aumentativos:

    O **cão** correu atrás do **homem**.
    O palhaço caiu e machucou a **boca** e o **nariz**.
    A mulher pegou a **vassoura** e varreu a **casa**.
    O carro saiu levantando **poeira**.

8 - Eles fazem tudo ao contrário.

Continue no caderno.   Veja o modelo:

                Ela **entra**   -   Ele **sai**
                Ela **sobe**   -   Ele **desce**
                Ela **chora**   -   Ele ☆
                Ela **abre**   -   Ele ☆
                Ela **vai**   -   Ele ☆

V - REDAÇÃO

1 - Aqui estão alguns animais úteis e nocivos:

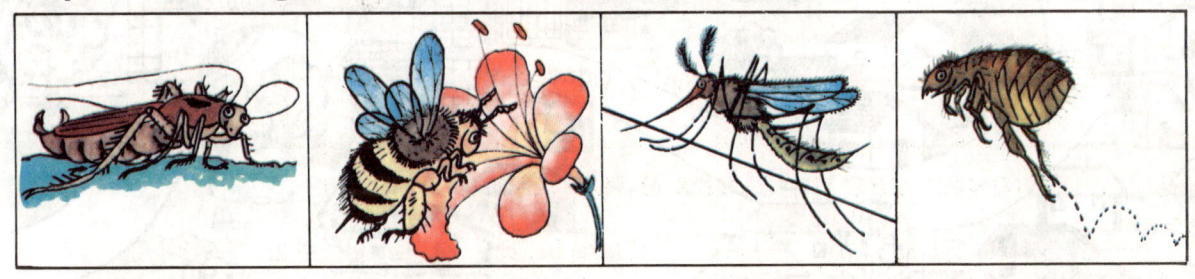

    barata   abelha   mosquito   pulga

Complete a oração com nomes de insetos nocivos.

Não esqueça as vírgulas.

      Os insetos nocivos que eu conheço são: ☆

2 - Olhe o desenho.

Que conversam as formiguinhas?
Conte em seu caderno.

VI - PENSE E ESCREVA

Uma formiguinha estava quase se afogando no rio.
Ao ver uma folha passar boiando agarrou-se a ela.
Escreva nomes de coisas que ficam boiando na água.

Voltando para a cidade

A família voltou do sítio para a cidade.

Todos se acomodaram no jipe e ele seguiu por um caminho estreito.

Depois do cruzamento, entrou na estrada.

Logo à frente, uma grande máquina despejava pedras para tapar os buracos.

O papai brecou e teve que esperar.

As crianças aproveitaram para ir até o matinho ali perto.

Logo que o caminho ficou livre, seguiram viagem.

Viam-se casinholas, montanhas, chácaras, sítios e campos.

O casario foi aumentando e o jipe entrou na cidade.

Passou por ruas, ruelas, praças e avenidas.

Parou defronte da casa.

I - ESTUDANDO AS PALAVRAS

1 - Leia:

> **brecou** - freou
> **casario** - agrupamento de casas
> **cruzamento** - encruzilhada
> **ruelas** - ruas estreitas e pequenas

2 - Copie trocando as palavras em negrito por sinônimos:

O papai **brecou** o carro.

Ao longe, via-se um **casario**.

Na cidade havia muitas **ruelas**.

O carro parou no **cruzamento** da estrada.

II - VOCÊ ENTENDEU O QUE LEU?

1 - Responda no caderno:

Em que lugar a viagem começou?

Por onde seguiu o carro?

Que pessoas viajavam?

Em que lugar a viagem terminou?

2 - Olhe o desenho.

Procure estes quadrinhos:

| 1 | 2 | 3 | 4 | 5 | 6 | 7 | 8 | 9 | 10 |

Escreva, adiante de cada numeral, o que o jipe encontrou na estrada.

Olhe o modelo:

1 - Sítio

2 - Cruzamento

91

III - É BOM FALAR E ESCREVER CERTO

Copie as palavras e escreva adiante de cada uma o encontro de consoantes. Veja o modelo: | braço - br |

estrada - **tr**	cruzamento	brecou
estreito	crianças	livre
entrou	frente	praça
grande	defronte	pedras

IV - VAMOS APRENDER NOSSA LÍNGUA?

1 - Leia:

Fábio voltou do sítio.   **Fábio e Didi** voltaram do sítio.
Ele voltou do sítio.   **Eles** voltaram do sítio.

Didi voltou do sítio.   **Eu e papai** não fomos ao sítio.
Ela voltou do sítio.   **Nós** não fomos ao sítio.

As palavras:

> **Eu - Ele - Ela**
> **Nós - Eles - Elas**
> são usadas em lugar do nome.

2 - Copie as orações, escrevendo duas qualidades para cada nome.

Veja o modelo:

Comprei um caminhão **novo** e **grande.**
Ganhei um livro ☆ e ☆.
Moro numa casa ☆ e ☆.
Ele vestiu a camisa ☆ e ☆.

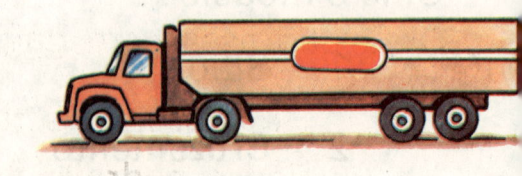

3 - Copie as orações e substitua os nomes por uma das palavras:

> Eles   Ele   Elas   Nós   Ela

Veja o modelo:

> **José** joga bola. - **Ele** joga bola.

Maria pula corda.
Os meninos vão à escola.
Eu e **João** comemos doces.
Marina e **Júlia** saíram.

V - REDAÇÃO

Conte a história em seu caderno:

Quem são eles?
Como se chamam?
Para onde vão?
Quem vão procurar?
Por que estão alegres?

VI - PENSE E DESENHE

Com estas figuras invente desenhos no seu caderno:

VII - RECREAÇÃO

Diga depressa sem gaguejar:

Um tigre, dois tigres, três tigres.
Pedro pedreiro tem um prato de prata.

A rua

Durante o dia, a rua é cheia de barulhos:

carros que passam buzinando;
táxis que rodam devagar;
bicicletas que rodam depressa;
ambulantes que empurram carrinhos de frutas, sorvetes, pipocas...
gente que corre de lá para cá e o ar asfixiante.

Mas à noite, a rua é diferente:

cachorrinhos de luxo passeiam presos a correntes;
moças e rapazes riem, fazem algazarra;
crianças brincam de roda cantando:

"Nesta rua, nesta rua tem um bosque.
que se chama, que se chama Solidão,
dentro dele, dentro dele mora um anjo
que roubou, que roubou meu coração."

I - ESTUDANDO AS PALAVRAS

1 - Leia:

ambulante	- vendedor que vende nas ruas
ar asfixiante	- ar sufocante, ar abafante
bosque	- mata
lar	- moradia, casa onde mora a família
solidão	- sozinho, que vive só
trânsito	- movimento de pessoas e veículos nas ruas

2 - Copie substituindo as palavras em negrito por sinônimos:

Comprei pipocas de um **ambulante**.

Naquela tarde, o ar estava **asfixiante**.

As crianças voltaram para seus **lares**.

Mário vive na **solidão**.

Ele foi passear no **bosque**.

Hoje **o trânsito** está engarrafado.

II - VOCÊ ENTENDEU O QUE LEU?

I - Responda em seu caderno:

Que representa a ilustração?

Quando a rua é mais cheia de barulhos?

Por que à noite a rua é diferente?

2 - Leia os versinhos e responda:

Qual o nome do bosque?

Que anjo mora sozinho nesse bosque?

Que o poeta chamou de bosque?

Como o anjo roubou o coração do poeta?

III - É BOM FALAR E ESCREVER CERTO

Leia as palavras e complete as orações, substituindo a ☆.

O x tem som de cs :

táxi   sexo   asfixiante
fixo   Rex   oxigenada

☆ é o nome de meu cão.
Tomei um ☆ para ir à escola.
Esta criança é do ☆ masculino.
O ar da sala está ☆.
Limpei o ferimento com água ☆.
O leite não tem preço ☆.

IV - VAMOS APRENDER NOSSA LÍNGUA?

1- Repare. Nos quadrinhos estão sendo praticadas ações:

O ambulante **grita**.   O guarda **apita**.

2 - Agora leia:

Que faz o ambulante?   Que faz o guarda?
Grita.   **Apita.**

As palavras grita e apita indicam ações de gritar e apitar.

Você viu que descobrimos as ações perguntando:

Que faz? ou **Que fez?**

3 - Agora você. Copie as orações e passe um traço debaixo das ações:

Pedro estuda a lição.
O gato miou.
Meu sabiá fugiu da gaiola.
A xícara azul quebrou.

4 - Continue a atividade:

fala   come   dorme   veste   mexe
falar

V - REDAÇÃO

1 - Conte uma história em que entrem estes barulhos:

Tchibum!   Ai! Ai!   Atchim!

2 - Complete a oração terminando assim:

☆ e foi um barulhão!

VI - PENSE E ESCREVA

1 - Escreva o nome de três coisas que fazem:

Muito barulho   **Pouco barulho**

2 - Descubra nas letras seis lugares públicos da cidade.

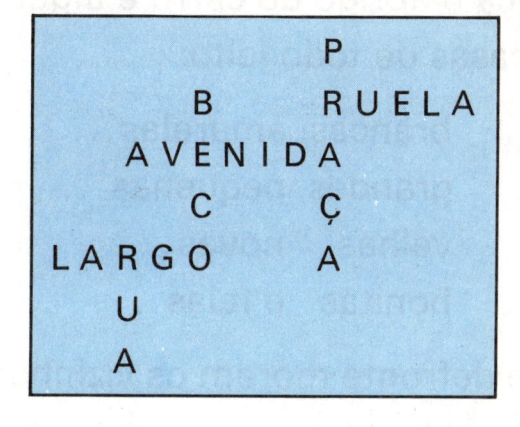

```
            P
      B     R U E L A
      A V E N I D A
          C     Ç
      L A R G O   A
          U
          A
```

A casa nova

No fim das férias, a família mudou-se para uma casa excelente.

Fica no bairro Princesa Isabel.
Um caminhão levou os móveis para a casa nova.
Ela fica numa rua calçada e tranqüila.
Está no meio de um jardim, bem exposta ao Sol.
Tem sala, três quartos, cozinha e banheiro.
Na parte externa há um terraço e uma escada.
No fundo fica o abrigo do carro e algumas árvores.
Na rua há casas de todo jeito:

        brancas, amarelas...
        grandes, pequenas...
        velhas, novas...
        bonitas e feias...

Aos lados e defronte moram os vizinhos.

I - ESTUDANDO AS PALAVRAS

1 - Leia:

abrigo	- cobertura
excelente	- muito bom
exposta ao	- à vista do
externa	- de fora
terraço	- varanda
tranqüila	- sossegada

2 - Copie trocando as palavras em negrito por sinônimos:

O **abrigo** do carro é **excelente**.

A rua em que moramos é muito **tranqüila**.

A janela fica **exposta** ao Sol.

O terraço fica na parte **externa** da casa.

II - VOCÊ ENTENDEU O QUE LEU?

1 - Veja as partes da casa:

A sala

O banheiro

O quarto

O abrigo do carro

A cozinha

O terraço e a escada

2 - Responda em seu caderno:

Por que a família se mudou nas férias?

Você acha a casa nova grande ou pequena? Por quê?

Como são as casas da rua?

99

III - É BOM FALAR E ESCREVER CERTO

1 - Copie da lição as orações em que aparecem as palavras:

| excelente | externa | exposta |

2 - Separe as sílabas das palavras e junte-as novamente, assim:

abrigo   a - bri - go   abrigo

branca   grande   defronte
frente   princesa   tranqüila

3 - Vamos formar famílias de palavras? Veja o modelo:

casa   -   caseiro, casario, casebre

sala
escada
banho
carro

4 - Junte os numerais da lista e descubra palavras.

Veja o modelo: 4 + 10 = nosso

1   2   3   4   5
pas os   dis nos as
6   7   8   9   10
es   sa   se   mas so

1 + 10   2 + 10   6 + 7
5 + 7   4 + 7   3 + 8
9 + 7   1 + 8   1 + 7

100

IV - VAMOS APRENDER NOSSA LÍNGUA?

1 - Copie e complete com ações, no seu caderno:

Didi ☆ uma boneca.
Paulo ☆ as mãos.
O coelho ☆ uma cenoura.
O gato ☆ no telhado.

2 - Copie e complete com `está` **ou** `estão` :

O caminhão ☆ parado.
As férias ☆ chegando.
Os carros ☆ nos abrigos.
A casa ☆ no meio do jardim.

3 - Copie e coloque um antes das palavras masculinas.

Copie e coloque uma antes das femininas:

☆ quarto   ☆ casa   ☆ jardim
☆ sala   ☆ carro   ☆ escada

V - REDAÇÃO

Conte no seu caderno:

Onde você mora?
Quantas pessoas há na sua casa?
Quem são elas?
Você gostaria de se mudar? Por quê?

VI - PENSE E ESCREVA

Conte em seu caderno o que aconteceu:

Ao chegar na casa nova, Fábio disparou pela escada abaixo e ....

Casa pequenina

(A autora)

Uma casa na colina,
pequenina, amarela,
um quartinho, uma cozinha
e gerânios na janela.

Ciscando lá no terreiro
um galo, um peru e um pato
e o céu azul espelhado
na água mansa do regato.

Muito verde em toda a volta,
trepadeiras na cancela,
uma mãe e uma criança
completando a aquarela.

I - ESTUDANDO AS PALAVRAS

1 - Leia:

> **aquarela** - pintura
> **cancela** - porteira
> **colina** - morro, pequeno monte
> **espelhado** - refletido, retratado
> **gerânios** - flores ornamentais
> **regato** - córrego, arroio

2 - Copie trocando as palavras em negrito por sinônimos:

A casa fica numa **colina**.

Os **gerânios** enfeitam a janela.

O Sol está **espelhado** no lago.

Fábio correu e abriu a **cancela**.

Na parede da sala havia uma **aquarela**.

A água do **regato** corria devagar.

II - VOCÊ ENTENDEU O QUE LEU?

1 - Responda em seu caderno:

Que há no alto do morro?

Como é a casa?

Dê sua opinião. As pessoas que moram na casa são ricas ou pobres?

Como descobriu isso?

Um menino está empinando um papagaio.

Ele será parente da mulher?

Você acha que esse menino é feliz? Por quê?

Por que a mulher está carregando lenha?

III - É BOM FALAR E ESCREVER CERTO

Copie a poesia e passe um traço debaixo das palavras com:

| qua | | que |

IV - VAMOS APRENDER NOSSA LÍNGUA?

1 - Leia:

Ontem o galo **ciscou** no terreiro
Hoje o galo **cisca** no terreiro
Amanhã o galo **ciscará** no terreiro

Ciscou - cisca - ciscará **são ações.**

Ciscou - é tempo passado - já aconteceu.
Cisca - é tempo presente - está acontecendo.
Ciscará - é tempo futuro - irá acontecer.

2 - Agora você.

Copie as orações e escreva **em que tempo** está a ação:

| no presente | | no passado | | no futuro |

A mãe carrega lenha — Tempo ☆.
A mãe carregará lenha — Tempo ☆.
A mãe carregou lenha — Tempo ☆.

3 - O menino empina o papagaio. Você pergunta ele responde:

- Menino, você empina o papagaio?

- Sim, eu empino.

- Menino, você já empinou o papagaio?

- Sim, eu já ☆.

- Menino, em que dia você empinará o papagaio?

- Amanhã eu ☆.

4 - Copie passando as ações para o plural:

O pato **sacudiu** as asas.
O pato e o peru **sacudiram** as asas.

A mãe **abriu** a porteira.
A mãe e o filho ☆ a porteira.

A mãe **subiu** o morro.
A mãe e o filho ☆ o morro.

--- **V - REDAÇÃO** ---

1 - Procure na poesia e copie completando com palavras que rimam:

    amarela   rima com ☆
    pato   rima com ☆
    cancela   rima com ☆

2 - Forme orações com as expressões:

| casa amarela | céu azul | muito verde |

3 - Conte como é sua casa respondendo as perguntas:

Onde você mora?
Como é sua casa?
Quantas pessoas moram nela?

--- **VI - PENSE E DESENHE** ---

1 - Faça uma casinha com jardim.

2 - Adivinhação

Que é? Que é?
Numa casinha branca,
sem porta e sem janela
Dona Clara mora nela.

Quer conhecer o jardim?

Abra o portão e entre.
Veja como o jardim é bonito e cheio de plantas!
Repare naquele canteiro. Ali existem:

roseiras carregadas de rosas;
lindas margaridas;
belos cravos vermelhos;
perfumadas violetas.

Lá adiante os gerânios, os lírios e os girassóis exibem suas flores coloridas.

As borboletas e as abelhas executam um bailado sobre as papoulas, para colher seu doce alimento.

O Sol dourado ilumina tudo.

I - ESTUDANDO AS PALAVRAS

1 - Leia:

> **ali existem** - ali há   **executam** - realizam
> **bailado** - dança   **exibem** - mostram

2 - Copie e substitua as palavras em negrito pelos sinônimos:

As borboletas **executam** um **bailado** sobre as flores.
Ali existem animais ferozes.
As flores **exibem** suas cores e perfumes.

II - VOCÊ ENTENDEU O QUE LEU?

1 - Leia:

As flores

A rosa

O gerânio

O cravo

O lírio

A margarida

O girassol

A violeta

A papoula

2 - Responda:

Que flores há no jardim?
De que flores você gosta?
Para que servem as flores?

III - É BOM FALAR E ESCREVER CERTO

1 - Copie, separe e junte as sílabas das palavras:

| existem | executam | exibem |

2 - Copie e complete as palavras com:

fl
☐ ores
☐ orzinha

pl
☐ anta
☐ antação

bl
☐ usa
☐ usão

cl
☐ aro
☐ aridade

3 - Copie e complete a historinha com as palavras:

| Flora | flores | florindo |
| plantinhas | florzinhas | plantação |

☆ gosta muito de ☆.
Ela fez uma ☆ no jardim.
As ☆ estão cheias de ☆ azuis.
Logo as roseiras também estarão ☆.

IV - VAMOS APRENDER NOSSA LÍNGUA?

1 - Leia, nos balões, a conversa de Fábio e de Didi

Didi, você viu meu tênis?

Vi sim, está no banheiro.

A conversa entre duas ou mais pessoas chama-se **diálogo**

O diálogo também pode aparecer assim:

— Didi, você viu meu tênis?
— Vi sim, está no banheiro.

O sinal que aparece antes da fala do Fábio e da Didi chama-se:

travessão —

No lugar do balão você usa o travessão.
O travessão indica a fala das personagens.

2 - Copie as orações e escreva em que tempo está a ação:

Tempo presente	Tempo passado	Tempo futuro
agora	ontem	amanhã

Você entrou no jardim. - Tempo ☆
Você entra no jardim. - Tempo ☆
Você entrará no jardim. - Tempo ☆

---

3 - Copie e complete as orações com a ação no tempo certo:

    iluminará   ilumina   iluminou

Ontem o Sol ☆ o jardim.
Amanhã o Sol ☆ o jardim.
Hoje o Sol ☆ o jardim

---

4 - Forme orações com as ações:

    colherá
    colhe
    colheu

V - REDAÇÃO

Veja o desenho e escreva:

Quem é a menina?
Onde ela está?
Que surpresa teve?
Quem ela chamou para ver?
Você já teve alguma surpresa?
Conte como foi?

VI - PENSE E ESCREVA

Se na sua casa não houver jardim nem quintal, onde poderá plantar flores?

O quarto de Fábio

Entre na casa.
Veja o quarto de Fábio.
Ele é pequeno, sem luxo e tem:
uma janela com vista para o quintal;
uma porta dando para o corredor;
uma lâmpada no alto;
uma cama confortável e macia;
um armário com roupas;
uma estante cheia de livros;
uma mesa e uma cadeira;
um criado-mudo com abajur em cima;
no chão um tapete florido.

Assim é o quarto de Fábio.

I - ESTUDANDO AS PALAVRAS

4 - Leia:

> **abajur** - quebra-luz
> **confortável** - cômodo, macio
> **criado-mudo** - mesinha de cabeceira

2 - Copie e substitua as palavras em negrito por sinônimos:

Mamãe fez para mim uma cama **confortável**.
Ao lado de minha cama há um **criado-mudo**.
Apaguei a luz do **abajur** e dormi.

II - VOCÊ ENTENDEU O QUE LEU?

1 - Veja que há no quarto:

A porta

A estante

A janela

O criado-mudo e o abajur

A lâmpada

A mesa

A cama

A cadeira

O armário

O tapete

2 - Copie e complete com suas palavras substituindo a ☆:

No quarto de Fábio há ☆.
No quarto não pode faltar ☆.
Na gaveta do criado-mudo Fábio guarda ☆.
No armário ele guarda ☆.

III - É BOM FALAR E ESCREVER CERTO

1 - Divida as palavras em sílabas e junte outra vez assim:

| armário | ar-má-rio | armário |

quarto - porta - abajur - corredor

2 - Copie as palavras escrevendo a consoante que falta:

quinta ☐   confortáve ☐   a ☐ to   ☐ âmpada

IV - VAMOS APRENDER NOSSA LÍNGUA?

1 - Passe para balões as "falas" de Fábio e do papai.

Atenção. Nos balões **não** se usa travessão.

— Papai, posso ir ao circo com o titio?
— Pode. Leve a Didi também.

2 - Copie e passe as ações do tempo presente (hoje) **para o tempo passado** (ontem). Veja o modelo:

Eu **jogo** bola.   Eu **joguei** bola.
Eu **pulo** corda.   Eu ☆
Eu **planto** flores.   Eu ☆
Eu **bebo** água.   Eu ☆

3 - Copie e passe as ações do tempo presente (hoje) **para o tempo futuro** (amanhã). Veja o modelo:

Eu **canto**   Eu **cantarei.**
Eu **brinco.**   Eu ☆
Eu **olho.**   Eu ☆
Eu **durmo.**   Eu ☆

4 - Complete as ações em seu caderno. Veja o modelo:

Eu **entrei** na casa e você **entrou**.
Eu **fui** até o quarto e você **foi**.
Eu **fechei** a porta e você ☆.
Eu **abri** a janela e você ☆.
Eu **peguei** um livro e você ☆.
Eu **sentei** na cadeira e você ☆.
Eu **li** o livro e você ☆.
Eu **dormi** e você ☆.

5 - Separe as sílabas das palavras e contorne a mais forte.
Veja o modelo:

| cadeira - ca (dei) ra |

quarto
quintal
corredor
janela

V - REDAÇÃO

Escreva uma história sobre o desenho, em seu caderno.

VI - PENSE E DESENHE

Fábio ouviu um barulhinho dentro da gaveta.
Puxou-a devagarinho e espiou.
Desenhe o que viu ele.

Fábio acordou

Sete horas da manhã. O Sol já vai alto e o dia amanheceu lindo!

Onde andará nosso amiguinho?
Ah! Lá está ele!
Fábio acaba de levantar-se.
Vovó Helena já o chamou.

Ele e sua irmã precisam estar na escola às oito horas.

Nosso homenzinho pega o sabonete, a escova de dentes, o pente. Dirige-se ao banheiro, onde toma seu banho de chuveiro.

Depois escova os dentes e penteia os cabelos. Veste a camisa, a calça e a malha de lã. Calça as meias e os sapatos.

Está pronto. Agora vai tomar café.

I - ESTUDANDO AS PALAVRAS

1 - Leia:

> **amanheceu** - raiou o dia, começou o dia
> **o Sol já vai alto** - o Sol já está alto no céu

2 - Copie e substitua as palavras em negrito pelos sinônimos:

O dia **amanheceu** lindo!

Quando Paulinho acordou, **o Sol já ia alto.**

II - VOCÊ ENTENDEU O QUE LEU?

1 - Leia a lição e copie no caderno substituindo a ☆:

Fábio tomou ☆ de ☆.

Escovou os ☆.

Penteou os ☆.

Vestiu a ☆, a ☆ e a ☆.

Calçou as ☆ e os ☆.

2 - Responda:

Fábio estuda pela manhã ou à tarde?
A que horas ele se levanta?
Ele acorda sozinho?
Que ele usa para tomar banho?
Que faz depois do banho?
Será que Fábio já tomou banho? Como sabe?

─── **III - É BOM FALAR E ESCREVER CERTO** ───

1 - Copie, separe em sílabas e torne a juntar, assim:

| hospital | hos-pi-tal | hospital |

homem   história
homenzinho   hoje
hora   Helena
horta   Hugo

2 - Copie e complete as palavras com:

| al | el | il | ol | ul |

c ☐ ça   pap ☐   futeb ☐
c ☐ çada   m ☐   p ☐ ga
jorn ☐   carret ☐   az ☐

─── **IV - VAMOS APRENDER NOSSA LÍNGUA ?** ───

1 - Passe as palavras para o aumentativo terminando em ão.
Veja o modelo:

| panela - panelão |

janela   anel   martelo   azul
chinelo   tigela   cavalo   fivela

2 - Copie as orações e complete com:

| vem | ou | vêm |

Você ☆ logo?   Ele e ela ☆ cedo?
Vocês ☆ agora?   Eles ☆ à noite?

---

3 - Passe as orações para o tempo futuro (amanhã) **assim:**

Fábio **toma** banho.   Ele **escova** os dentes.
Fábio **tomará** banho.   Ele ☆ os dentes.

Ele **vestiu** a camisa   Ele **calçou** os sapatos.
Ele ☆ a camisa.   Ele ☆ os sapatos.

---

4 - Eu pergunto e você responde. Veja o modelo:

Vocês acordaram cedo?
Sim. **Nós acordamos** cedo.

Vocês tomaram banho?
Sim. ☆.

Vocês pentearam os cabelos?
Sim ☆.

Vocês vestiram a blusa?
Sim ☆.

V - REDAÇÃO

Conte sobre você:

A que horas se levanta?
Quem acorda você?
Toma banho? Escova os dentes?
A que horas vai à escola?
Você trabalha? Como?

VI - VAMOS FAZER MÍMICA?

Você e seus colegas imitem, só com gestos, as ações de Fábio.

Manhã de correria

Didi ainda está deitada.
A mamãe aproximou-se:
— Bom-dia, Didi! Que preguiça é essa?
Até o caçula já se levantou!
A menina corre para o banheiro.
Depressa lava e enxuga o rosto.
Depois escova os dentes e penteia os cabelos.
Veste a blusa e a saia do uniforme, auxiliada pela mamãe.
Tira os chinelinhos, calça as meias e os sapatos.
Pega um lenço na gaveta e sai correndo.
— Arre! diz a Zazá. Já trouxe seu café.
Você está atrasada. Tem no máximo cinco minutos para sair.

I - ESTUDANDO AS PALAVRAS

1 - Leia:

> aproximou-se - chegou perto de
> auxiliada   - ajudada
> máximo   - maior que todos

2 - Copie e substitua as palavras em negrito pelos sinônimos:

O papai é o **máximo**.

Mamãe fez o bolo **auxiliada** por Didi.

Fábio **aproximou-se** do vovô.

II - VOCÊ ENTENDEU O QUE LEU?

1 - Leia a lição e complete no caderno:

Didi se levanta da cama e vai até o banheiro.

Lava e ☆ o rosto.

Escova os ☆ e penteia os ☆.

Veste a ☆ e a ☆.

Calça as ☆ e os ☆.

Pega um ☆ na ☆.

2 - Responda:

Como a mamãe cumprimentou Didi?
Por que Didi se arrumou depressa?
Como a Zazá ralhou?
A que horas você acha que começam as aulas?
Como descobriu?

III - É BOM FALAR E ESCREVER CERTO

1 - Copie e escreva quantas sílabas têm as palavras. Veja o modelo:

trouxe   trou - xe   2 sílabas

máximo   aproximou   auxiliada

2 - Leia e copie:

lã    lãs

maçã    maçãs

irmã    irmãs

rã    rãs

3 - Copie completando:

As ____ estão na lagoa.

O ____ é de ____

IV - VAMOS APRENDER NOSSA LÍNGUA?

1 - Copie as orações e continue a atividade, assim:

Didi **lavou** o rosto. - O rosto está **lavado**.

Ela **escovou** os dentes.
Ela **penteou** os cabelos.
Ela **vestiu** a blusa.
Ela **tomou** café.

2 - Passe para balões a conversa de Didi e de Zazá.

- Zazá, você pode trazer meu café?
- Arre, você está atrasada!

3 - Copie da lição:

Uma oração afirmativa.
Uma oração interrogativa
Uma oração exclamativa

4 - Observe e copie substituindo a ☆:

beleza é derivada de **belo**
esperteza é derivada de **esperto**
moleza é derivada de ☆
limpeza é derivada de ☆
dureza é derivada de ☆
tristeza é derivada de ☆
pobreza é derivada de ☆

V - REDAÇÃO

Você já teve um dia de correria como Didi?
Conte como foi.

VI - PENSE E RESPONDA

Alguma vez você chegou tarde na escola?
Que acha do aluno que sempre chega atrasado?

O caminho da escola

Fábio e Didi tomaram o café da manhã.
Agora vão a pé para a escola.
Passam por várias lojas, pela padaria, pela confeitaria...
O bairro Princesa Isabel é movimentado. Vêem-se pessoas a pé, de ônibus, de automóvel, de bicicleta.

Na esquina, Fábio vê o sinal vermelho e fala:
— Pare, Didi! VERMELHO é **perigo**!
O sinal muda para amarelo.
A menina vai passar.
— Ainda não, Didi.
O AMARELO indica **atenção**!
— Veja! Mudou para verde, Fábio.
— Afinal podemos passar. O VERDE quer dizer: **Siga**!

Fábio conhece bem os sinais de trânsito.

I - ESTUDANDO AS PALAVRAS

1 - Leia:

> **sinais de trânsito** - sinais luminosos ou placas colocados nas ruas, avenidas, estradas, facilitando a circulação de pessoas e veículos
> **bairro** - uma parte da cidade
> **indica** - quer dizer, significa

2 - Copie substituindo as palavras em negrito por sinônimos:

Fábio e Didi mudaram para um **bairro** muito movimentado.
Na rua, a placa DEVAGAR **indica** cuidado.
Você conhece os **sinais de trânsito**?

II - VOCÊ ENTENDEU O QUE LEU?

1 - Desenhe em seu caderno o sinaleiro luminoso.
Escreva adiante de cada cor o que Fábio disse.

Fábio disse: ⬤ ———
Fábio disse: ⬤ ———
Fábio disse: ⬤ ———

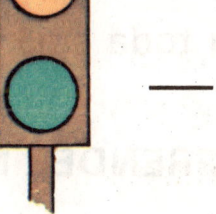

2 - Responda:

Que meios de transporte as pessoas usam no bairro Princesa Isabel?

Que outros meios de transporte você conhece?

123

III - É BOM FALAR E ESCREVER CERTO

1 - Copie e coloque os acentos que faltam:

De manha Fabio e o vovo tomaram cafe.
O vovo não gosta de andar a pe.
Agora eles vao de onibus a farmacia.
Vao buscar xarope para a vovo.

2 - Leia e copie: bicicleta — cla - cle - cli - clo - clu

3 - Copie a historinha e complete com as palavras:

Clóvis	blusão	flanela
bicicleta	Clarinha	Pluto
aflitos	blusa colorida	Clarinha

☆ vestiu o ☆ de ☆.
Depois saiu na sua ☆ com ☆ na garupa.
☆ correu atrás deles latindo.
Eles ficaram ☆ e correram mais depressa.
Que tombo feio!
A ☆ de ☆ ficou toda suja.

IV - VAMOS APRENDER NOSSA LÍNGUA?

1 - Copie e coloque a pontuação certa:

Na esquina Fábio vê o sinal vermelho e fala:
Pare Didi   VERMELHO   é perigo.
O sinal muda para amarelo
Didi pergunta:
Agora podemos passar

2 - Desenhe Fábio e Didi. Escreva a conversa nos balões:

- Fábio, vamos atravessar a rua?
- Agora não, vermelho é perigo!

---

3 - Tudo está acontecendo (tempo presente). Copie e continue:

parar	Fábio e Didi **param** na esquina.
passar	Eles ☆ pela farmácia
conhecer	Eles ☆ os sinais de trânsito
mudar	Eles ☆ de casa.

---

4 - Tudo ainda vai acontecer (tempo futuro). Copie e continue:

tomar	Fábio e Didi **tomarão** café.
sair	Eles ☆ de casa.
parar	Eles ☆ na esquina.
chegar	Eles ☆ na escola

---

5 - Tudo já aconteceu (tempo passado). Copie e continue:

tomar	Fábio e Didi **tomaram** café.
sair	Eles ☆ de casa.
parar	Eles ☆ na esquina
chegar	Eles ☆ na escola.

V - REDAÇÃO

Escreva tudo que você encontra no caminho, desde sua casa até a escola.

VI - PENSE E ESCREVA

Fábio ouviu uma notícia no rádio e ficou alegre.

Que notícia foi?

Os colegas de Fábio

Na classe de Fábio há meninos de várias raças.

Nasceram e aqui cresceram. Descendem de gente que veio de outros países:

de Portugal, os pais de Manuel;

da Itália, os pais de Genaro;

do Japão, os pais de Issao;

de Angola, país da África, os pais de Francisco.

Vieram e ficaram. Trabalharam pelo bem de nossa Terra.

Vivem os nossos costumes e falam a nossa língua.

Há até um mestiço de índio. Seu nome é Iberê.

Fábio gosta muito dele.

I - ESTUDANDO AS PALAVRAS

1 - Veja sua família:

Seus ascendentes
- Seus bisavós
- Seus avós
- Seus pais

Você

Seus descendentes
- Seus filhos
- Seus netos
- Seus bisnetos

2 - Leia:

descendem	-	nasceram de
mestiço	-	que tem pais de raças diferentes
nossos costumes	-	nossos usos, nossos hábitos

3 - Copie substituindo as palavras em negrito pelos sinônimos:

Esses meninos **descendem** de italianos.

Os japoneses adotaram **nossos costumes**.

Tenho em minha classe um colega **mestiço**.

II - VOCÊ ENTENDEU O QUE LEU?

1 - Copie e responda as perguntas:

> Quem são as crianças?
>
> Os colegas de Fábio são todos brasileiros?
>
> Olhe a carinha de cada criança e conte onde nasceram seus pais.
>
> O pai e a mãe de Iberê são índios? Como sabe?

2 - Conte em seu caderno:

> De que raça são seus pais.
>
> Onde você nasceu.
>
> Que língua você fala.

III - É BOM FALAR E ESCREVER CERTO

Copie as palavras e complete com `s`

na ☐ ce	cre ☐ ce	de ☐ cende
na ☐ ceu	cre ☐ ceu	de ☐ cendeu
na ☐ cer	cre ☐ cer	de ☐ cender

IV - VAMOS APRENDER NOSSA LÍNGUA?

1 - Copie separadamente as sílabas assim `pis-ci-na`

desce	cresce	descende
nasce	cresceu	descendeu

2 - Copie e escreva em que tempo estão as ações:

> O brasileiro **nasce** no Brasil - Tempo ☆
>
> O italiano **nasceu** na Itália. - Tempo ☆
>
> O japonês **nascerá** no Japão. - Tempo ☆

V - REDAÇÃO

1 - Leia o bilhete que Fábio recebeu do Francisco:

> Fábio
>
> Sábado à tarde vamos jogar bola no campinho, Esperamos você.
>
> Francisco
>
> 28/10/85

Repare:

Quem recebeu o bilhete foi Fábio.
Quem escreveu o bilhete foi Francisco,
Ele assinou seu nome embaixo.

2 - Responda:

Quem você acha que vai responder o bilhete?

Copie o bilhete e complete com os nomes de Francisco e de Fábio.

> ☆
>
> Pode contar comigo.
> Estarei lá.
>
> ☆
>
> 30/10/85

VI - PENSE E ESCREVA

1 - Giovano veio da Itália para o Brasil.

Ensine a ele como cumprimentar as pessoas:

De manhã - ☆
À tarde - ☆
À noite - ☆

33 — BILHETES QUE VÃO E QUE VÊM...

Ao voltar do Instituto onde estuda, Rubens encontrou este bilhete:

> Caro Rubens,
> No dia 5 de novembro vai ser comemorada a fundação da nossa cidade.
> Do programa constam muitos festejos: desfiles, competições e foguetório.
> Venha e traga seu irmão Constantino.
> Um abraço do amigo,
> Fábio
>
> 25/10/85

Ao receber a resposta, Fábio pulou de alegria.
O bilhete dizia:

> Amigo Fábio
> Recebi seu convite e lhe agradeço.
> Constantino e eu estaremos aí no dia 5, às oito horas, combinado?
> Tenho certeza de que passaremos bons momentos juntos.
> Até breve,
> Rubens.
>
> 2/11/85

I - ESTUDANDO AS PALAVRAS

1 - Leia:

> até breve   - até logo
> competição   - disputa, desafio
> constam   - fazem parte
> desfile   - apresentação em fila
> fundação   - origem, criação.

2 - Copie e substitua as palavras em negrito pelos sinônimos:

Da festa da escola **constam**: ginástica, jogos e **desfile** de alunos.

Vai haver também competição **esportiva**.

Papai viajou e na saída disse: - **Até breve.**

Domingo vamos festejar a **fundação** da escola.

II - VOCÊ ENTENDEU O QUE LEU?

1 - Responda:

Quantos bilhetes foram escritos?

Quem escreveu o primeiro?

Quem escreveu o segundo?

Por que Fábio escreveu um bilhete ao Rubens?

Que festa vai ser comemorada no dia 5 de novembro?

Quem é Constantino?

2 - Copie e complete substituindo a ☆:

☆ recebeu a resposta do bilhete.

O encontro de Fábio e de Rubens será no dia ☆ às ☆ horas.

☆ também irá à festa.

III - É BOM FALAR E ESCREVER CERTO

1 - Leia, copie e complete com: ans - ens - ins - ons - uns

Veja os modelos:

Rubens	☐ petor	C ☐ tantino
armazéns	☐ tante	c ☐ trução
tr ☐	cap ☐	c ☐ tipação
hom ☐	bolet ☐	tr ☐ porte
alg ☐	jard ☐	tr ☐ ferência

2 - Copie as palavras passando para o plural. Veja os modelos:

trem - trens   jardim - jardins

bem	capim
bom	amendoim
rim	bombom
ruim	algum

IV - VAMOS APRENDER NOSSA LÍNGUA?

1 - Copie e passe as ações para os tempos: presente passado e futuro.

Fábio ☆ um bilhete.   (Tempo presente)
Fábio **escreveu** um bilhete. (Tempo passado)
Fábio ☆ um bilhete.   (Tempo futuro)

Quem praticou a ação de escrever foi ☆.

Rubens ☆ o bilhete.   (Tempo presente)
Rubens ☆ o bilhete.   (Tempo passado)
Rubens **responderá** o bilhete. (Tempo futuro)

Quem praticou a ação de responder foi ☆.

2 - Vamos descobrir quem praticou as ações?

    Papai chegou.
    Quem praticou a ação de chegar?   (o papai)

    Eu brinquei com o Francisco.
    Quem praticou a ação de brincar?   (eu)

---

3 - Descubra quem praticou as ações e responda:

    Mamãe dirige o carro.
    Quem pratica a ação de dirigir?

    Ele bebeu laranjada.
    Quem praticou a ação de beber?

    As meninas pularam corda.
    Quem praticou a ação de pular?

---

4 - Leia e complete com ões . **Veja o modelo:**

    condução - conduções

caminhão	pinhão	violão
leilão	foguetão	baião
quentão	rojão	sambão

V - REDAÇÃO

Convide um amigo para almoçar na sua casa.
Escreva um bilhete e não esqueça:

- o nome do amigo
- o assunto
- seu nome e a data

O castigo da Pichochó

Fábio contou a seus colegas o que aconteceu com a cachorra Pichochó.

Todos os dias, seu Chico examinava o ninho da Catita mas, não achava ovos.

Uma tarde, quando a galinha cacarejou, aproximou-se e, que enxergou ele?

A Pichochó comia um ovo com casca e tudo!

— Cachorra sem-vergonha! exclamou ele.

Resolveu fazer uma experiência.

Na sexta-feira foi à cidade e trouxe um ovo de gesso. Colocou-o no ninho da Catita para executar seu plano.

Assim que a ave cacarejou, a Pichochó correu. Enxotou a galinha e . . . nhoqt! abocanhou um ovo.

Ao morder o segundo, seu maxilar rangeu e ela saiu ganindo com dois dentes quebrados.

Foi a última vez que a Pichochó tomou ovo quente.

I - ESTUDANDO AS PALAVRAS

1 - Leia:

abocanhou	- pegou com a boca
aproximou-se	- chegou perto
enxergou	- viu
examinava	- olhava com atenção
exclamou	- falou alto, falou espantado
executar um plano	- por em prática uma idéia
fazer uma experiência	- tirar a prova
o maxilar rangeu	- os ossos do queixo produziram um chiado
resolveu	- decidiu

2 - Copie e substitua as palavras em negrito pelos sinônimos:

O cachorro **abocanhou** o osso.

Ele **aproximou-se** da casa.

Que você **enxergou** lá fora?

Seu Chico **examinava** o ninho todos os dias.

O menino **exclamou:** Que susto!

Hoje quero **executar um plano**.

Mário **resolveu** fazer uma **experiência**.

O **maxilar** da cachorra **rangeu**.

II - VOCÊ ENTENDEU O QUE LEU?

1 - Copie, completando de acordo com a lição:

Fábio	punha um ovo todos os dias.
Seu Chico	comia o ovo com casca e tudo.
Pichochó	castigou a Pichochó.
Catita	contou a história aos colegas.

135

2 - Responda no caderno:

De que mais gostava a Pichochó?
Como ela descobria que a galinha punha um ovo?
Qual foi a experiência de Seu Chico?
Quantos ovos a Pichochó comeu nesse dia?
Você acha que Seu Chico procedeu certo? Por quê?
A história acabou bem ou mal?
Pense e escreva outra maneira de castigar a Pichochó.

III - É BOM FALAR E ESCREVER CERTO

Copie as palavras e escreva mais uma para cada som do ⬚x⬚

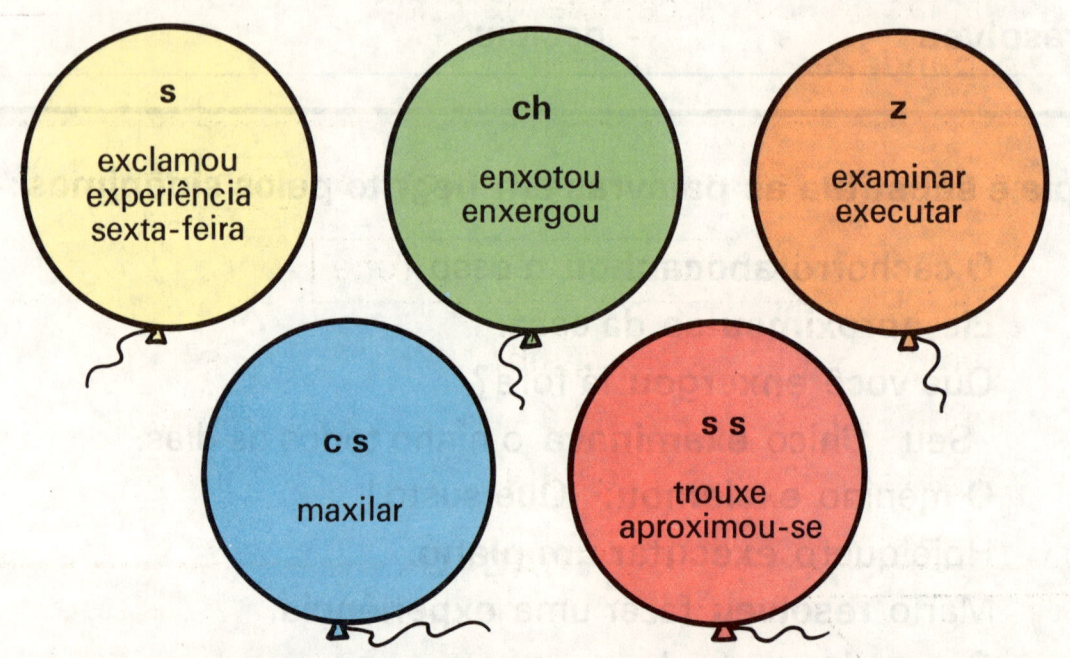

s
exclamou
experiência
sexta-feira

ch
enxotou
enxergou

z
examinar
executar

c s
maxilar

s s
trouxe
aproximou-se

IV - VAMOS APRENDER NOSSA LÍNGUA?

1 - Descubra qual é a ação. Veja o modelo:

Seu Chico olhou.
A ação é **olhar**.

O ovo caiu.
A ação é ☆.

A cachorra comeu.
A ação é ☆.

O dente quebrou.
A ação é ☆.

A galinha cacarejou.
A ação é ☆.

A Pichochó correu.
Ação é ☆.

2 - Leia e copie alguns diminutivos diferentes:

burro	- burrico	casa	- casebre
cabra	- cabrita	**chuva**	- chuvisco
bandeira	- bandeirola	**frango**	- frangote
caixa	- caixeta	**mala**	- maleta
camisa	- camiseta	**papel**	- papelucho

3 - Copie e substitua as palavras em negrito pelos diminutivos:

O **burro**, a **cabra** e o **frango** comiam milho no cocho.
A **chuva** molhou o **papel**.
Mamãe colocou a **camisa** na **mala**.
A **bandeira** veio na **caixa**.

4 - Copie as palavras fazendo o aumentativo em ona . Veja o modelo:

cachorra - cachorrona

menina	galinha	sabida
bonita	gata	coelha
barata	batata	careta

V - REDAÇÃO

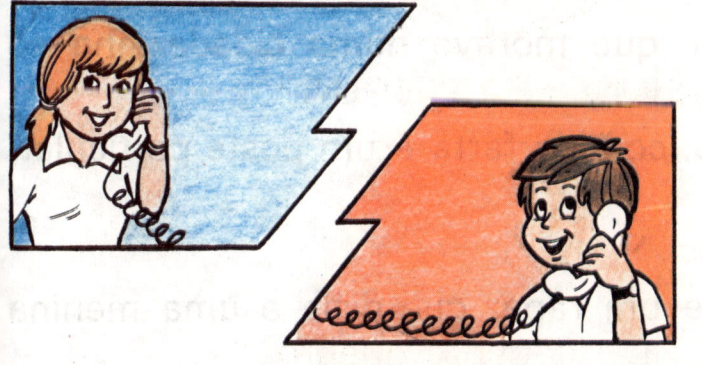

Fábio telefonou convidando Clarinha para ir ao sítio no fim de semana.
Escreva a conversa dos dois.

VI - PENSE E ESCREVA

O papai leu uma notícia no jornal e ficou alegre.
Qual foi a notícia?

Sonho de vira-lata

Era uma vez um vira-lata infeliz.

Vivia fuçando o lixo para achar uns grãos de arroz ou um osso para roer.

Devido à sua pequenez os cães maiores sempre lhe roubavam o petisco.

Num dia de chuva, sonhou que morava numa cidadezinha só de cachorros.

Cada um tinha sua casinha, comida farta e um poste particular, com luz no alto.

Todos os cães eram amigos.

Acordou ao ouvir a voz de um rapaz que dizia a uma menina de capuz:

— Pobrezinho! Vamos levá-lo conosco.

Desde esse dia teve paz e foi o mais feliz dos cachorros.

Esta é a história de Totó.

I - ESTUDANDO AS PALAVRAS

1 - Leia:

> **comida farta** - bastante comida
> **fuçando** - revolvendo com o focinho
> **pequenez** - tamanho pequeno
> **petisco** - comida gostosa, deliciosa

2 - Copie e substitua as palavras em negrito pelos sinônimos:

O cãozinho nunca teve **comida farta.**

O leitão estava **fuçando** a horta.

Todos abusavam da **pequenez** do cão.

Sobre a mesa havia muitos **petiscos.**

II - VOCÊ ENTENDEU O QUE LEU?

1 - Responda no caderno:

Como se alimentava o vira-lata?

Por que ele era infeliz?

Para o cachorro era importante ser pequeno ou grande? Por quê?

2 - Olhe a gravura e responda no caderno:

Quais as personagens verdadeiras da lição?

Quais as personagens do sonho do vira-lata?

Qual a diferença entre os cães da rua e os do sonho do vira-lata?

Que fez o cão acordar?

III - É BOM FALAR E ESCREVER CERTO

1 - Copie as palavras acrescentando [z]

pa ☐   ve ☐   feli ☐   vo ☐   lu ☐
rapa ☐   pequene ☐   infeli ☐   arro ☐   capu ☐

2 - Complete as orações com a palavra certa:

[pneu]   [objeto]   [técnico]   [admirado]

Aquele menino achou um ☆ no lixo.

O ☆ do carro furou.

Fiquei ☆ com o preço do café.

O ☆ consertou a televisão.

IV - VAMOS APRENDER NOSSA LÍNGUA?

1 - Descubra quem praticou a ação. Veja o modelo:

Os cães roubavam o petisco do vira-lata.
Quem roubava o petisco?
[Os cães]

O cachorro fuçou o lixo.
Quem fuçou o lixo?

Ele acordou com o barulho.
Quem acordou com o barulho?

2 - Escreva o plural das palavras acrescentando [es]

[rapaz - rapazes]

cartaz ☆   nariz ☆   voz ☆
xadrez ☆   feliz ☆   cruz ☆

3 - Continue escrevendo as ações no tempo presente.

Eu **moro** na rua
Nós **moramos** na rua
Vocês moram na rua

Eu **chupo** balas.	Eu **compro** doces.
Nós ☆ balas.	Nós ☆ doces.
Vocês ☆ balas.	Vocês ☆ doces.

4 - Copie e mude as ações do Tempo Passado para o Tempo Futuro:

TEMPO PASSADO	TEMPO FUTURO
Eu **corri** depressa.	Eu **correrei** depressa.
Nós **corremos** depressa.	Nós **correremos** depressa.
Vocês **correram** depressa.	Vocês **correrão** depressa.
Eu **comi** chocolate.	Eu ☆ chocolate.
Nós **comemos** chocolate.	Nós ☆ chocolate.
Vocês **comeram** chocolate.	Vocês ☆ chocolate.

V - REDAÇÃO

5 - Copie a história substituindo os desenhos por palavras:

O 🐕 vira - 🥫 fuçava o 🗑️

Ele queria achar um  🦴 para roer.

Os 🐕🐕🐕 lhe tomavam o petisco.

Ele sonhava com uma 🏠 e um 📡 particular.

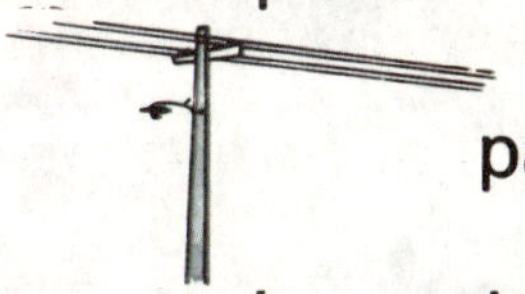

Os 🐕🐕🐕🐕 eram todos amigos.

Um 👦 e uma 👧 levaram o 🐕

vira  - 🥫 para sua 🏠

Ele viveu muito 🐕

36

A roda da alegria

O mundo em que você vive é cheio de coisas belas:

o Sol que desponta atrás das nuvens;
a chuva que cai fininha sobre os campos;
a cachoeira que despenca das alturas;
a floresta que assombra pela sua grandeza;
a flor que balança no galho;
a mamãe-passarinho que trata dos filhotes;
a borboleta que suga o néctar das flores;
a abelha que trabalha para a colmeia;

a mãe que embala o filho pequenino;
e, finalmente VOCÊ, que hoje está lendo a última lição de seu livro.

Você e seus colegas também têm um lugar na

RODA DA ALEGRIA

Dêem as mãos. Todos juntos, digamos bem alto, àqueles que nos ajudaram a ser felizes:

Obrigado, professor!
Obrigado, escola!
Obrigado, papai e mamãe!

Amiguinho ou amiguinha

Lendo a "Roda da Alegria" você ficou sabendo que, no mundo há belezas permanentes:
- o Sol que desponta para aquecer o Universo;
- a chuva que cai para dar vida à Natureza;
- as quedas d'água que aumentam o volume dos rios;
- a floresta que mantém o equilíbrio do ar;
- a flor que é a promessa para a vida do fruto;
- a fêmea dos passarinhos que tem desvelos de mãe;
- a borboleta que leva o pólen ao ovário das flores;
- a abelha que prepara para você o mel puro e gostoso.

É assim: todos os seres da Natureza servem à vida do homem, à vida dos animais, à vida das plantas.

E você, como serve?

Uma criança pode servir:

À sua família, colaborando nos trabalhos e às vezes até na manutenção da casa; na escola, preparando-se para a vida e sendo amigo de professores e colegas.

Não saia da "RODA DA ALEGRIA".

Seja feliz, como as flores, as abelhas, a gota d'água caindo nas plantas!